講談社文庫

アフターダーク

村上春樹

講談社

アフターダーク

afterdark

1

pm

　目にしているのは都市の姿だ。

　空を高く飛ぶ夜の鳥の目を通して、私たちはその光景を上空からとらえている。広い視野の中では、都市はひとつの巨大な生き物に見える。あるいはいくつもの生命体がからみあって作りあげた、ひとつの集合体のように見える。無数の血管が、とらえどころのない身体の末端にまで伸び、血を循環させ、休みなく細胞を入れ替えている。新しい情報を送り、古い情報を回収する。新しい消費を送り、古い消費を回収する。新しい矛盾を送り、古い矛盾を回収する。身体は脈拍のリズムにあわせて、いたるところで点滅し、発熱し、うごめいている。時刻は真夜中に近く、活動のピークはさすがに越えてしまったものの、生命を維持するための基礎代謝はおとろえることなく続いている。都市の発するうなりは、通奏低音としてそこにある。起伏のない、単調な、しかし予感をはらんだうなりだ。

私たちの視線は、とりわけ光の集中した一角を選び、焦点をあわせる。そのポイントに向けて静かに降下していく。色とりどりのネオンの海だ。繁華街と呼ばれる地域。ビルの壁面に取り付けられたいくつもの巨大なディジタル・スクリーンは真夜中を境に沈黙に入るが、店頭のスピーカーはまだヒップホップ・ミュージックの誇張された低音をひるむことなくたたき出している。若者たちで混み合った大きなゲームセンター。派手な電子音。コンパ帰りらしい大学生のグループ。髪を明るい金髪に染め、ミニスカートの下から、健康な両脚をむき出しにした十代の女の子たち。最終電車に乗り遅れないように、急ぎ足でスクランブル交差点を渡っていくサラリーマン。しかしこの時刻になっても、カラオケ店の呼び込みは相変わらずにぎやかに続いている。派手な外装を施した黒のワゴン車が、街の品定めをするようにゆっくりと通りを流している。真っ黒なフィルムが貼られた窓ガラス。それは深海に生息する、特別な皮膚と器官をもった生き物を思わせる。二人組の若い警官が緊張した面持ちで同じ通りをパトロールしているが、彼らに注意を払うものはほとんどいない。この時刻の街は、街そのものの原理に従って機能している。季節は秋の終わり。風はないが、空気は冷ややかだ。あとほんの少しで日付が変わろうとしている。

私たちは「デニーズ」の店内にいる。

面白みはないけれど必要十分な照明、無表情なインテリアと食器、経営工学のスペシャリストたちによって細部まで緻密に計算されたフロアプラン、小さな音で流れる無害なバックグラウンド・ミュージック、正確にマニュアルどおりの応対をするように訓練された店員たち。「ようこそデニーズにいらっしゃいました」。店はどこをとっても、交換可能な匿名的事物によって成立している。店内は満席に近い状態だ。

私たちは店内をひととおり見まわしたあとで、窓際の席に座った一人の女の子に目をとめる。どうして彼女なのだろう？　なぜほかの誰かではないのだろう？

その理由はわからない。しかしその女の子はなぜか私たちの視線をひきつける——とても自然に。彼女は四人掛けのテーブル席に座って本を読んでいる。フード付きのグレーのパーカにブルージーンズ、何度も洗われたらしく色のあせた黄色いスニーカー。隣の椅子の背中にスタジアム・ジャンパーがかけてある。これも決して新品には見えない。年齢は大学の新入生というあたり。高校生ではないけれど、まだどこかに高校生の雰囲気を残している。髪は黒くて短く、まっすぐ。化粧気はほとんどなく、アクセサリーらしきものもつけていない。ほっそりとした小さな顔。黒縁の眼鏡をかけている。眉のあいだにときどき、きまじめそうなしわが寄る。

彼女はずいぶん熱心に本を読んでいる。ほとんどページから目をそらさない。分厚いハードカバーだが、書店のカバーがかかっているので、題名はわからない。真剣な顔をして読んでいるところを見ると、堅苦しい内容の本なのかもしれない。読み飛ばすのではなく、一行一行をしっかりと噛み締めている雰囲気がある。

テーブルの上にはコーヒーカップがある。灰皿がある。灰皿の横には紺色のベースボール・キャップ。ボストン・レッドソックスのBのマーク。彼女の頭には少しサイズが大きすぎるかもしれない。隣りのシートには茶色い革のショルダーバッグが置いてある。ふくらみ方からすると、いろんなものが短時間のうちに、思いつきのまま次々に放り込まれたみたいだ。彼女は定期的にコーヒーカップを手にとって口に運ぶが、とくにその味わいを楽しんでいるようには見えない。目の前にコーヒーがあるから、いわば役目としてそれを飲んでいるだけだ。思い出したように煙草を口にくわえ、プラスチックのライターで火をつける。目を細め、無造作に煙を宙に吹きだし、灰皿に煙草を置き、それから頭痛の予感を鎮めるように、指先でこめかみを撫でる。

小さな音で店内に流れている音楽はパーシー・フェイス楽団の『ゴー・アウェイ・リトル・ガール』。もちろん誰もそんなものは聴いていない。様々な種類の人々が深夜の「デニーズ」で食事をとり、コーヒーを飲んでいるが、女性の一人客は彼女だけだ。ときどき本から顔を上げ、腕時計に目をやる。しかし時間は思うように進まないらしい。誰かと待ち合わせをしているというのでもなさそうだ。店内を見まわすこともないし、入り口に目を向けることもない。ただ一人で本を読み、ときどき煙草に火をつけ、機械的にコーヒーカップを傾け、時間が少しでも早く経過していくことを期待している。しかし言うまでもなく、夜明けがやってくるまでには、まだずいぶん時間がある。

本を読むのを中断し、窓の外に目をやる。二階の窓から、にぎやかな通りを見下ろすことができる。この時刻になっても通りはまだじゅうぶんに明るく、多くの人々が行き来している。行き場所を持った人々、行き場所を持たない人々。目的を持つ人々、目的を持たない人々。時間を引き留めようとする人々、時間を推し進めようとする人々。彼女はそのようなとりとめのない街の風景をひとしきり眺めてから、呼吸を整え、本のページに再び目を戻す。コーヒーカップに手をのばす。煙草はほんの数口しか吸われないまま、灰皿の上で端正なかたちの灰になっていく。

入り口の自動ドアが開いて、ひょろりと背の高い、若い男が中に入ってくる。黒い革のハーフコートに、しわだらけのオリーブ・グリーンのチノパンツ、茶色のワークブーツ。髪はかなり長く、ところどころでほつれている。この数日、髪を洗う機会をたまたま持たなかったのかもしれない。つい今しがたどこかの深い藪をくぐり抜けてきたのかもしれない。それとも髪をくしゃくしゃにしていることが、彼にとっては自然な、心安らかな状態であるのかもしれない。瘦せているが、スマートというよりは、栄養がじゅうぶん足りていないという印象を受ける。大きな黒い楽器ケースを肩にかけている。管楽器。そのほかには汚れたトートバッグを下げている。中には楽譜やらその他細々したものが詰め込まれているようだ。右の頰の上に、人目を引く深い傷がある。尖ったものでえぐられたような短い傷跡。それをべつにすれば、とくに目立ったところはない。ごく普通の青年だ。道に迷った性格のいい、しかしあまり気の利かない雑種犬のような雰囲気がある。

案内係のウェイトレスがやってきて、彼を奥の席に案内する。読書をする女の子のテーブルの横を通り過ぎる。若い男はいったんそこを通り過ぎてから、何か思いあたったように立ち止まり、フィルムを巻き戻すみたいにゆっくり後ずさりして、彼女のテーブルのわきに戻る。そして首を傾げ、興味深そうに彼女の顔を見る。頭の中で記憶を辿っている。思い出すまでに時間がかかる。何をするにも時間がかかりそうなタイプだ。

女の子はその気配に気づき、本から顔を上げ、目を細め、そこに立っている若い男を見る。相手の背が高いので、仰ぎ見る感じになる。二人の視線が合う。男はにっこりと微笑む。悪意がないことを示すための微笑みだ。

彼は声をかける、「ねえ、間違ってたらごめん。君は浅井エリの妹じゃない？」

彼女は無言だ。庭の隅の茂りすぎた灌木を眺めるような目で、相手の顔を見ている。

「前に一度会ったよね」と男は続ける。「えーと、君の名前はたしかユリちゃん。お姉さんと一字違いなんだ」

彼女は用心深い視線を維持したまま、事実を簡潔に訂正する。「マリ」

男は人差し指を宙に向ける。「そうそう、マリちゃんだ。エリとマリ。一字違い。僕のことはきっと覚えてないよね？」

マリはかすかに首を傾げる。イエスなのかノーなのか、わからない。眼鏡をとって、コーヒーカップのとなりに置く。

ウェイトレスが戻ってきて尋ねる。「ご一緒ですか?」

「うん、そう」と彼は答える。

ウェイトレスはメニューをテーブルの上に置く。男はマリの向かい側に腰を下ろし、楽器のケースをとなりのシートに置く。そのあとで思い出したようにマリに尋ねる。「ちょっとのあいだここに座っててていいかな。食事したらすぐ行っちゃうから。よそで待ち合わせがあるんだ」

マリは少しだけ顔をしかめる。「そういうことって、まず最初に尋ねるものじゃないの?」

男は言われたことの意味について考える。「誰かと待ち合わせしているの?」

「そういうことじゃなく」とマリは言う。

「つまり、礼儀の問題として」

「そう」

男はうなずく。「そうだな。たしかに、相席していいかどうか最初に尋ねるべきだった。それは謝るよ。でも、店も混んでるし、長くは邪魔しないから。いい?」

マリは小さく肩をすぼめるような動作をする。お好きにという感じだ。男はメニューを広げて眺める。

「もう食事は済ませた?」

「お腹は減ってないの」

男はむずかしい顔でメニューをひととおり見渡してから、ぱたんとしめて、テーブルの上に置く。「本当はメニューなんて開く必要もないんだけどね。いちおう見ているふりをしているだけ」

マリは何も言わない。

「ここではチキンサラダしか食べない。決まってるんだ。僕に言わせてもらえれば、デニーズで食べる価値があるのはチキンサラダくらいだよ。メニューにあるものはおおかた試してみたけどさ。君はここでチキンサラダ食べたことある?」

マリは首を振る。

「悪くないよ。チキンサラダと、かりかりに焼いたトースト。デニーズではそれしか食べない」

「なのにどうしていちいちメニューを見るわけ?」

彼は指で目尻のしわをのばす。「あのさ、考えてもみなよ。デニーズに入ってきて、メニューも見ないで、いきなりチキンサラダを頼むのって、ずいぶんわびしいじゃないか。それじゃもう、チキンサラダを食べるのが楽しみでデニーズに通い詰めてますって感じになっちゃうだろう。だからいちおうメニューを開いて、ひととおりあれこれ考えてからチキンサラダに決めましたってふりをするんだよ」

ウェイトレスが水を持ってくると、彼はチキンサラダと、かりかりに焼いたトーストを注文する。「すごくかりかりにね」と強調する。「黒こげになる寸前くらいに」。それに食後のコーヒーをつける。ウェイトレスは手にした機械に注文をインプットし、読み上げて確認する。

「それからこちらにコーヒーのおかわり、みたい」と彼は、マリのコーヒーカップを指して言う。

「かしこまりました。ただいまコーヒーのおかわりをお持ちいたします」

ウェイトレスが去っていくのを、男は眺めている。

「チキンは好きじゃない？」と彼は尋ねる。

「そういうわけじゃない」とマリは言う。「でも外ではチキンはあまり食べないことにしているの」

「どうして?」

「チェーン・レストランなんかで出されるチキンは、わけのわからない薬物を投与されていることが多いから。成長促進剤だとか、その手のもの。鶏は狭い暗い檻の中に閉じこめられて、いっぱい注射をされて、化学物質を含んだ飼料で育てられて、それからベルトコンベアに載せられて、機械で首をぽきぽき折られて、機械で羽をむしられるの」

「わお!」と彼は言う。そして微笑む。微笑むと目尻のしわが深くなる。「ジョージ・オーウェル風チキン・サラダ」

マリは目を細めて相手の顔を見る。自分がからかわれているのかどうか、うまく判断できない。

「でもそれはそれとして、ここのチキンサラダは悪くないんだよ。ほんとに」

彼はそう言ってから、思いだしたように革コートを脱ぎ、たたんで隣のシートに置く。そしてテーブルの上で両手をごしごしとこすり合わせる。コートの下には緑色のざっくりとした丸首セーターを着ている。セーターの毛糸も、髪の毛と同じようにところどころでほつれている。身のまわりにそれほど気をつかわないタイプらしい。

「前に君と会ったのは、品川のホテルのプールだったよね。二年前の夏。覚えてる？」

「なんとなく」

「僕の親友がいて、君のお姉さんがいて、君がいて、ついでにこの僕がいて。全部で四人。僕らは大学に入ったばかりで、君はたしか高校二年生だった。そうだね？」

マリはあまり興味なさそうにうなずく。

「僕の親友がそのころ君のお姉さんと軽くつきあっていて、それで僕を入れてダブルデートみたいなことをしたんだ。ホテルのプールの招待券を、どっかで四枚調達してきた。で、お姉さんは君をつれてきた。でも君はろくに口もきかず、ずっとプールに入って、育ち盛りのイルカみたいに泳いでいた。そのあとみんなでホテルのティールームに入って、アイスクリームを食べた。君はピーチメルバを頼んだ」

マリは顔をしかめる。「なんでそんな細かいことまでいちいち覚えてるわけ？」

「ピーチメルバを食べる女の子とデートしたことなかったし、それからもちろん君がかわいかったからだよ」

マリは無感動に相手の顔を見る。「嘘よ。だってお姉さんのことばかりじろじろ見てたじゃない」

「そうだっけ？」

マリは沈黙で返事をする。

「あるいはそういうこともあったかもしれない」と彼は認める。「彼女の着ていた水着がとても小さかったことをなぜかよく覚えているから」

マリは煙草を取り出して口にくわえ、ライターで火をつける。

「あのさ」と彼は言う。「べつにデニーズをかばうわけじゃないけど、いくらか問題があるかもしれないチキンサラダを食べるよりは、煙草を一箱吸う方がよほど身体によくないような気がするんだ。そう思わない？」

マリはその問いかけを無視する。

「あのときは、誰か別の女の子が行くはずだったんだけど、その子の具合がぎりぎりで悪くなって、かわりに私が無理やりに連れて行かれたの。人数を合わせるために」と彼女は言う。

「だから機嫌があまりよくなかった」

「あなたのことを覚えてるよ」

「ほんとに？」

マリは自分の右の頬に指をやる。

男は頬の深い傷跡に手をやる。「ああ、これね。子供の頃、自転車でスピードを出していて、坂道を曲がりきれなかったんだ。あと二センチずれてたら右目を失明するところだったよ。耳たぶも変形してるけど、見たい？」

マリは顔をしかめて首を振る。

ウェイトレスがチキンサラダとトーストをテーブルに運んでくる。マリのコーヒーカップに新しいコーヒーを注ぐ。そして注文されたものがすべて運ばれてきたかどうかを確認する。彼はフォークとナイフを手にとって、慣れた手つきでチキンサラダを食べ始める。それからトーストを手にとってしげしげと眺める。眉をひそめる。

「どれだけかりかりにって念を押しても、トーストが注文通りに焼かれてきたためしがないんだ。よくわからないよな。日本人の勤勉さと、ハイテク文化と、デニーズ・チェーンの追求する市場原理をもってすれば、トーストをかりかりに焼くくらいそんなむずかしいことじゃないはずだ。そうだよね？　なのになぜそれができないんだろう？　トーストひとつ注文通りに焼けない文明にどんな価値があるんだろう？」

マリはとくに相手にしない。

「しかし君のお姉さんは美人だったよな」と彼は独りごとのように言う。

マリは顔を上げる。「それ、どうして過去形で言うわけ？」

「どうしてって……、ただ昔の話をしていたから過去形を使っただけだよ。べつに今が美人じゃないとか、そういうつもりじゃない」

「今もきれいみたいよ」

「それはなにより。でもさ、実を言えば、僕は浅井エリのことをそんなによく知らないんだよ。高校時代同じクラスに一年間いたけど、そのときはろくすっぽ話もしなかった。というか、話もしてもらえなかったっていう方が近いけどさ」

「でも関心はあるのね？」

男はフォークとナイフを宙にとめて少し考える。「関心っていうか、つまりさ、それは知的好奇心みたいなものなんだよ」

「知的好奇心？」

「もし浅井エリみたいなすごい美人とデートできたら、いったいどんな気持ちがするんだろうって。その手のことだよ。なにしろ雑誌のモデルをやるような子だからさ」

「それが知的好奇心？」

「一種の」

「でもそのときエリとつきあっていたのは友達の方で、あなたは付き添いだったわけね？」

口の中にものをほおばったまま、彼はうなずく。あわてず、時間をかけて咀嚼《そしやく》する。

「僕はどっちかというと控え目な人間なんだ。スポットライトは似合わない。添え物みたいな方が合っている。コールスローとか、フライド・ポテトとか、ワム！の片割れとか」

「だから私の相手をさせられた」

「でもっていうか、君だってなかなかかわいかったよ」

「ねえ、あなたって過去形を使うのが好きな性格なの？」

男は微笑む。「いやそういうんじゃなくてさ、ただそのときの心情を、今の時点から率直に表現しただけだよ。なかなかかわいかった。ほんとに。君はほとんど口もきいてくれなかったけどさ」

彼はフォークとナイフを皿の上に置いて、グラスの水を飲む。紙ナプキンで口元を拭く。

「それで君が泳いでいる間に、浅井エリに尋ねたんだ。どうして君の妹は僕とあまり口をきいてくれないんだろう、僕に何か問題があるんだろうかって」

「何て言った？」

「君は常日頃誰とも進んで口をきくことはないんだって、彼女は言ってた。ちょっと変わっていて、日本人なのに、日本語より中国語を話すことの方が多いくらいだ。だから気にすることはない。とりたてて僕に問題があるとは思わないって」

マリは黙って、煙草を灰皿の中でもみ消す。

「僕にとくに問題があったわけじゃないよね？」

マリは少し考える。「そんなに詳しく覚えてないけど、あなたに問題があったわけじゃないと思う」

「よかった。けっこう気になってたんだ。もちろん僕にはいくつか問題があるけど、それはほら、あくまで僕自身の内部的な問題だから、そんなにやすやすと人目につかれると困るんだ。とくに夏休みのプールサイドなんかでさ」

マリは確かめるようにもう一度相手の顔を見る。「内部的な問題はとくに目につかなかったと思う」

「安心した」

「名前が思い出せないんだけど」とマリは言う。

「僕の名前？」

「そう」

彼は首を振る。「忘れててかまわないよ。とことん凡庸な名前なんだ。ときどき自分でも忘れてしまいたくなる。でも自分の名前って、そんな簡単に忘れられないものなんだよな。他人の名前なら、覚えてなくちゃならないものでも、どしどし忘れちゃうんだけどね」

彼は不当に失われた何かを探し求めるように、窓の外にちらりと目をやる。それからまたマリを見る。

「ずっと不思議に思っていたんだけど、どうして君のお姉さんはあのとき、一度も水の中に入らなかったのかな？　暑い日だったし、せっかく立派なプールに行ったのに」

マリは、そ、ん、な、こ、と、も、わ、か、ら、な、い、の、という顔をする。「お化粧が落ちるのが嫌だからよ。決まってるじゃない。それにだいたいあんな水着で、水の中を実際に泳げるわけがないでしょう」

「そうか」と彼は言う。「同じ姉妹でも生き方がかなり違うんだ」

「べつべつの人生だから」

男は彼女の言ったことについて、しばらく考えを巡らせている。それから口を開く。

「なんで僕らはみんなべつべつの人生を歩むようになるんだろうね？　つまりさ、君たちの場合でいえばだけど、同じ両親から生まれて、同じ家で育って、同じ女の子で、それがどうしてそんなにがらっと色あいの違う人格になってしまうんだろう？　どこにその、別れ道みたいなものがあるんだろう？　一人は手旗信号サイズのビキニを着て、プールサイドでチャーミングにただ横になっていて、一人はスクール水着みたいなのを着て、水の中をイルカ並みに泳ぎまくっていて……」

マリは相手の顔を見る。「それを今ここで、二百字以内とかで私が説明するわけ？　あなたがそのチキンサラダを食べている間に？」

男は首を振る。「いや、そうじゃなくて、好奇心っていうか、頭にふと浮かんだことを声に出しただけだよ。君が答える必要はない。ただ自分に問いかけているんだ」

そしてまたチキンサラダにとりかかろうとするが、思い直して話を続ける。

「僕には兄弟がいないんだ。だからさ、ただ純粋に知りたかったんだよ。兄弟ってのが、どのへんまで似ていて、どのへんから違ってくるかってことがさ」

マリは黙っている。男はナイフとフォークを手に持ったまま、何かを考えながらひとしきりテーブルの上の空間を眺めている。

彼は言う。「ハワイのある島に、三人の兄弟が流れ着いた話を読んだことがある。神話だよ。昔の。子供の頃に読んだものだから、正確な筋は忘れちゃったけど、だいたいこういう話なんだ。三人の若い兄弟が漁に出て、嵐にあって流されて、長いあいだ海を漂流して、誰も住んでいない島の海岸に流れ着く。美しい島で、椰子の木なんかが生えていて、果物もたわわに実り、真ん中にはすごく高い山がそびえていた。その夜、神様が三人の夢の中に現れてこう言った。もう少し先の海岸に、三つの大きな丸い岩をお前たちはみつけるだろう。お前たちはその岩をそれぞれに転がして好きなところに行きなさい。岩を転がし終えたところが、お前たちそれぞれの生きるべき場所だ。高い場所に行けば行くほど、世界を遠くまで見わたすことができる。どこまで行くかはお前たちの自由だって」

男は水を飲み、一息置く。マリは関心がなさそうな顔をしているが、耳はちゃんと話を聞いている。

「そこまではわかった？」

マリは小さくうなずく。

「続きは聞きたい？　興味がないんならもうやめるけど」

「長くなければ」

「そんなに長くないよ。わりに簡単な話なんだ」

彼はもうひとくち水を飲んでから話の続きにかかる。

「神様が言ったとおり、三人の兄弟は海岸に三つの大きな岩を見つけた。そして言われたように、その岩を転がして行った。とても大きな重い岩で、転がすのは大変だったし、ましてや坂道を押して登るのはえらい苦労だった。いちばん下の弟が最初に音を上げた。『兄さんたち、俺はもうここでいいよ。ここなら海岸にも近いし、魚もとれる。じゅうぶん暮らしていける。そんなに遠くまで世界が見れなくてもかまわない』といちばん下の弟は言った。上の二人はなおも先に進み続けた。しかし山の中腹まで行ったあたりで次男が音を上げた。『兄さん、俺はもうここでいいよ。ここなら果物も豊富に実っているし、じゅうぶん生活していくことができる。そんなに遠くまで世界が見れなくてもかまわない』。いちばん上の兄はなおも坂道を歩み続けた。道はどんどん狭く険しくなっていったけれど、あきらめなかった。我慢強い性格だったし、世界を少しでも遠くまで見たいと思ったんだ。そして力の限り、岩を押し上げ続けた。何ヵ月もかけて、ほとんど飲まず食わずで、その岩をなんとか高い山のてっぺんまで押し上げることができた。彼はそこで止まり、世界を眺めた。今では誰よりも遠くの世界を見渡すことができた。そこが彼の住む場所だった。草も生えないし、鳥も飛ばないような場所だった。水分といえば氷と霜を舐めるしかなかったし、食べ物と言えば、苔をかじるしかなかった。でも後悔はしなかった。彼には世界を見渡すことができたからだ……。というわけでハワイのその島の山の頂には、今でも大きな丸い岩がひとつぽつんと残っている。そういう話」

沈黙。

マリは質問する。

「その話には教訓みたいなものはあるの？」

「教訓はたぶんふたつある。ひとつは」と彼は指を一本立てる。「人はそれぞれに違うということ。たとえ兄弟であってもね。もうひとつは」と二本目の指を立てる。「何かを本当に知りたいと思ったら、人はそれに応じた代価を支払わなくてはならないということ」

「私には、下の二人が選んだ人生の方がまともみたいに思えるんだけど」とマリは意見を述べる。

「そうだよな」と彼は認める。「ハワイにまで来て、霜をなめて、苔を食べて暮らしたいとは誰も思わないよな。たしかに。でも長男には、世界を少しでも遠くまで見たいという好奇心があったし、それを押さえることができなかったんだよ。そのために支払わなくちゃならないものがどんなに大きかったとしてもさ」

「知的好奇心」

「まさに」

マリは何かを考えている。分厚い本の上に片手を置いている。

「どんな本を読んでいるのかと礼儀正しく尋ねても、きっと取り合ってもらえないんだろうね？」と彼は言う。

「たぶん」

「すごく重そうな本だね」

マリは黙っている。

「女の子が普通バッグに入れて持ち運ぶようなサイズじゃないよな」

マリはやはり沈黙を守っている。彼はあきらめて、食事の続きにかかる。そして今回は何も言わず、チキンサラダに意識を集中し、最後まで食べ終える。時間をかけて咀嚼し、たくさん水を飲む。ウェイトレスに何度か水のおかわりを頼む。トーストの最後の一切れを食べる。

「君のうちはたしか日吉の方じゃなかったっけ？」と彼は言う。彼の食べ終えた皿は既に下げられている。

マリはうなずく。

「じゃあもう最終は間に合わないぜ。タクシーで帰るならともかく、明日の朝まで電車はないよ」

「それくらい知ってるよ」とマリは言う。

「なら、いいんだけどさ」

「どこに住んでるのか知らないけど、あなたの方だってもう最終電車はないんじやないの？」

「高円寺。でも一人暮らしだし、どうせ朝までひたすら練習してる。それにいざとなれば仲間の車がある」

彼は傍らの楽器ケースをとんとんと軽く叩く。親しい犬の頭を叩くときのように。

「この近くのビルの地下で、バンドの練習をしているんだ」と彼は言う。「そこならどんなでかい音を出しても文句を言われない。暖房がほとんどきかないから、この季節はしっかりと冷えるけど、ただで使わせてもらってるからね、贅沢は言えない」

マリは楽器ケースに目をやる。「それって、トロンボーン？」

「そうだよ。よくわかるね」と彼は少し驚いたように言う。

「トロンボーンのかたちくらい知ってるよ」

「うん、でもさ、世の中にトロンボーンという楽器が存在していることすら知らない女の子が、けっこういるんだよ。まあ、しょうがないよな。ミック・ジャガーだってエリック・クラプトンだって、トロンボーンを吹いてスターになったわけじゃない。ジミ・ヘンドリックスやピート・タウンゼントがトロンボーンをステージで壊したことがあるか？　まさかね。みんな決まって電気ギターを壊すんだ。トロンボーンを壊しても笑われるだけだ」

「じゃあどうしてあなたは、自分の楽器としてトロンボーンを選んだわけ？」

男は運ばれてきたコーヒーにクリームを入れ、それをひとくち飲む。

「中学生のときに、中古レコード屋で『ブルースエット』っていうジャズのレコードをたまたま買ったんだよ。古い古いLP。どうしてそんなもの買ったのかなあ。思い出せない。ジャズなんてそれまで聴いたこともなかったからさ。でもとにかく、A面の一曲めに『ファイブスポット・アフターダーク』っていう曲が入っていて、これがひしひしといいんだ。トロンボーンを吹いてるのがカーティス・フラーだ。初めて聴いたとき、両方の目からうろこがぼろぼろ落ちるような気がしたね。そうだ、これが僕の楽器だって思った。僕とトロンボーン。運命の出会い」

男は『ファイブスポット・アフターダーク』の最初の八小節をハミングする。

「知ってるよ、それ」とマリは言う。

彼はわけがわからないという顔をする。「知ってる?」

マリはその続きの八小節をハミングする。

「どうして知ってるの?」と彼は言う。

「知ってちゃいけない?」

男はコーヒーカップを下に置き、軽く首を振る。「ぜんぜんいけなくない。……でもさ、なんだか信じられないね。今どき『ファイブスポット・アフターダーク』を知ってる女の子がいるなんてな。……まあいいや、とにかくそのカーティス・フラーにしびれまくって、それがきっかけでトロンボーンを始めることになった。親に借金して中古の楽器を手に入れ、学校の吹奏クラブにはいって、高校の時からバンドみたいなことをやりだした。最初はロックバンドのバックみたいなのをやってたんだ。昔のタワー・オブ・パワーみたいなやつ。タワー・オブ・パワーは知ってる?」

マリは首を振る。

彼は言う、「まあいいや。昔はそういうのをやっていて、今は純粋に、地味にジャズをやっている。たいした大学じゃないけどさ、悪くないバンドがある」

ウェイトレスが水のおかわりを注ぎにくる。彼はそれを断る。腕時計にちらっと目をやる。「もう時間だ。そろそろ行かなくちゃ」

マリは無言。誰もとめてないでしょう、という顔をしている。

「どうせみんな遅れてくるんだけどさ」と彼は言う。

マリはそれについてもとくにコメントはしない。

「ねえ、君のお姉さんに僕からよろしくって伝えておいてくれるかな」

「そんなの、自分で電話すればいいじゃない。うちの電話番号は知ってるんでしょ。だいたいよろしく伝えるも何も、あなたの名前だって知らないのよ」

彼は少し考え込む。「でもさ、君のうちに電話して浅井エリが出てきて、いったいどんな話をすればいいんだろう?」

「高校の同窓会の相談だとか、なんだって適当なことを思いつけるでしょう」

「話すのがあまり得意じゃないんだ。もともと」

「私とはずいぶんたくさん話しているみたいだけど」

「君とはなぜか話せる」

「私とはなぜか話せる」とマリは相手の言葉を繰り返す。「でもうちのお姉さんを前にするとうまく話せない？」

「それは知的好奇心が働きすぎるから？」

「たぶん」

どうだろうというような、曖昧な表情を彼は顔に浮かべる。何かを言いかけるが、思い直してやめる。深く息をつく。それからテーブルの伝票を手に取り、頭の中で金額を計算する。

「僕のぶんを置いていくから、あとで一緒に払っておいてくれる？」

マリはうなずく。

男は彼女と彼女の本に目をやる。少し迷ってから言う。「あのさ、こういうのって余計なお世話かもしれないけどさ、何かあったの？　たとえば、その、ボーイフレンドとうまくいかないとか、家族と大喧嘩したとか。つまり、一人で朝まで街にいるってことについてだけど」

マリは眼鏡をかけ、相手の顔をじっと見上げる。そこにある沈黙は緊密で、冷ややかだ。男は両手をあげて、手のひらを彼女に向ける。余計なことを言って悪かった、という風に。

「朝の五時くらいに、またここに軽く食べに寄ると思うんだ」と彼は言う。「どうせ腹が減るから。そのときにまた君に会えるといいな」

「どうして?」

「さあ、どうしてかな」

「心配だから?」

「それもある」

「お姉さんによろしく伝えてほしいから?」

「それも少しはあるかもしれない」

「うちのお姉さんには、トロンボーンとオーブントースターの違いだって、きっとよくわからないよ。グッチとプラダの違いなら一目でわかるみたいだけど」

「人にはそれぞれの戦場があるんだ」彼は微笑む。

そしてコートのポケットから手帳を取り出し、ボールペンで何かを書き込む。そのページを破って彼女に手渡す。

「これが僕のケイタイの番号。もし何かあったら、ここに電話して。えーと、君はケイタイ持ってる?」

マリは首を振る。

「そういう気がしたよ」と彼は感心したように言う。「直感が僕に耳打ちしていたんだ。この子はケイタイなんてきっと好きじゃないって」

男はトロンボーンのケースを手に取り、立ち上がる。革のコートを着る。顔にはまだ微笑みの影が残っている。「じゃあね」

マリは無表情にうなずく。もらった紙片をよく見もせずに勘定書のとなりに置く。そして呼吸を整え、頬杖をつき、また読書に戻る。店内にはバート・バカラックの『エープリル・フール』が小さく流れている。

2

pm

部屋の中は暗い。しかし私たちの目は少しずつ暗さに馴れていく。女がベッドに眠っている。美しい若い女、マリの姉のエリだ。浅井エリ。誰に教えられたわけでもないのだが、なぜかそれがわかる。黒い髪が、溢《あふ》れ出した暗い水のように枕の上に広がっている。

私たちはひとつの視点となって、彼女の姿を見ている。あるいは窃視しているというべきかもしれない。視点は宙に浮かんだカメラとなって、部屋の中を自在に移動することができる。今のところ、カメラはベッドの真上に位置し、彼女の

壁際に木製の簡素なシングル・ベッドがあり、浅井エリはそこで眠っている。真っ白な無地のベッドカバー。ベッドの反対側の壁に取り付けられた棚には、小型のコンポーネント・ステレオ、そしてCDのケースがいくつか積み重ねられている。その隣に電話と18インチのテレビ。鏡のついたドレッサー。鏡の前にはリップクリームと小さな丸いヘアブラシが置かれているだけ。壁にはウォークイン式のクローゼット。ほとんど唯一の装飾として、小さな額に入れられた写真が五つ棚に並んでいるが、すべてが浅井エリ自身の写真である。どれも彼女一人だけで写っている。家族や友人と一緒に撮られたものはない。モデルとしてポーズをつけた職業的な写真ばかりだ。たぶん雑誌に載った写真なのだろう。小さな書棚はあるが、本は数えるほどしか入っていないし、その多くは大学の授業で教材として使われているものだ。あとは大きなサイズのファッション雑誌が一山積み上げてあるだけ。彼女を読書家と呼ぶことはむずかしそうだ。

私たちの視点は架空のカメラとして、部屋の中にあるそのような事物を、ひとつひとつ拾い上げ、時間をかけて丹念に映し出していく。私たちは目に見えない無名の侵入者である。私たちは見る。耳を澄ませる。においを嗅ぐ。しかし物理的にはその場所に存在しないし、痕跡を残すこともない。言うなれば、正統的なタイムトラベラーと同じルールを、私たちは守っているわけだ。観察はするが、介入はしない。しかし正直なところを言えば、この部屋の様子から引き出すことのできる浅井エリについての情報は、決して豊富なものではない。彼女のパーソナリティーは前もってどこかにこっそりと隠され、観察の目を巧妙に逃れているという印象がある。

ベッドの枕元では、ディジタル式の電気時計が音もなく、着実に時を更新している。今のところ、部屋の中で動きらしきものを見せているのはこの時計だけだ。用心深い電気仕掛けの夜行生物。緑色の液晶の数字が人目を避けながら、するりと入れ替わる。現在の時刻は午後11時59分。

私たちの視点としてのカメラは、細部の観察を終えるといったん後方に引き、部屋全体をあらためて見渡す。そしてどうしたものか気持ちを決めかねるように、しばらくのあいだその広い視野を保持している。視線はとりあえずそのあいだ、ひとつに固定されている。含みのある沈黙が続く。しかしやがて、何か思いあたることがあったらしく、部屋の片隅にあるテレビに目をとめ、そちらに向かって接近していく。黒い真四角なソニーのテレビだ。画面は暗く、月の裏側のように死んでいる。しかしカメラは、何かの気配をそこに感じ取ったらしい。あるいは兆候のようなものを。画面がアップになる。私たちはその気配なり兆候なりを無言のうちにカメラと共有し、テレビの画面を見つめる。

私たちは待つ。息をひそめ、耳を澄ませながら。

時計が0：00という数字を示す。

じりじりという電気的な雑音が耳に聞こえてくる。それにあわせてテレビの画面は生命の片鱗を得て、かすかに瞬き始める。誰かが知らないうちにやってきて、テレビのスイッチを入れたのだろうか？　あるいは予約設定のようなものがなされていたのだろうか？　いや、そのどちらでもない。カメラは抜け目なく機械の裏側にまわり、テレビの電源プラグが抜かれていることを示す。そう、このテレビは本当は死んでいるべきなのだ。固く冷たく、真夜中の沈黙を守っているはずなのだ。論理的に、原理的に。でも死んではいない。

走査線が画面に現れ、ちらつき、かすれて消える。それからまた走査線が浮かびあがる。じりじりという雑音が、そのあいだ途切れることなく続いている。やがて画面に何かが映り始める。画像がかたちを取り始める。しかしほどなく、イタリック文字みたいに斜めに歪み、炎が吹き消されるようなかっこうでふっと消えてしまう。そのあとでもう一度同じことが頭から繰り返される。画像が力を振り絞ってよろよろと立ち上がろうとする。そこにある何かを具象化しようと試みる。しかし画像はまとまらない。受信アンテナが強風にあおられているように、画像は歪む。メッセージは寸断され、輪郭は痛めつけられて散逸する。カメラはその葛藤《かっとう》の一部始終を我々に伝える。

眠っている女は、そのような室内の異変に気づいていないようだ。テレビの発する無遠慮な光や音にも、まるで反応を示さない。設定された完結性の中で、ただひっそりと眠り続けている。今のところ何ものも、彼女の深い眠りを乱すことはできない。テレビはこの部屋への新たな侵入者である。もちろん私たちだって侵入者ではある。しかし私たちとは違って、新たなる侵入者は静かでもないし、透明でもない。中立的でもない。それは疑いの余地なくこの部屋に介入しようとしている。そのような意図を直観的に感じ取る。

テレビの画像は行きつ戻りつではあるけれど、次第に安定の度を増していく。

画面にはどこかの部屋の内部が映し出されている。かなり広い部屋だ。オフィス・ビルの一室のようにも見える。何かの教室のようにも見える。大きく開放的なガラス窓と、天井に並んだたくさんの螢光灯。しかし家具の姿は見えない。いや、よく見ると、部屋のほぼ中央に椅子がひとつだけ置かれている。古い木製の椅子で、背もたれはついているが、肘掛けはない。実務的で簡素な椅子だ。その椅子の上には誰かが腰掛けている。画像はまだ完全には落ち着いていないので、椅子に座っている人物の姿は、輪郭の滲んだ、曖昧なシルエットとして認められるだけだ。長いあいだ見捨てられた場所の、寒々しい雰囲気が部屋には漂っている。

その映像をこちらに伝えている（らしい）テレビ・カメラは、用心深く椅子に向かって近寄っていく。体つきからすると、椅子に腰掛けているのはおそらく男だ。その人物はわずかに前屈みになっている。顔を前方に向け、深く考えごとをしているように見える。暗い色の衣服を着て、革靴を履いている。顔は見えないが、それほど背の高くない、やせぎみの男らしい。年齢までは判定できない。私たちが不鮮明な画面からそのような情報をひとつひとつ、断片的に収集しているあいだも、ときどき思い出したように画像が乱れる。ノイズがうねり、高まる。しかしそれらのトラブルが長びくこともなく、画像はまもなく回復する。雑音も収まる。画面は試行錯誤をかさねながら、間違いなく安定の方向に向かっている。

この部屋の中で、たしかに何かが起ころうとしている。おそらく重要な意味を持つ何か、が。

3

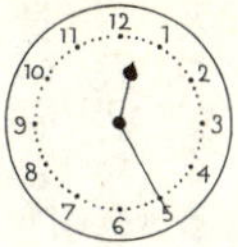

am

前と同じ「デニーズ」の店内。マーティン・デニー楽団の『モア』がＢＧＭとして流れている。30分前に比べると、客の数は目に見えて少なくなった。話し声も聞こえない。夜が一段階深まった気配がある。

マリがテーブルに向かって、相変わらず分厚い本を読んでいる。彼女の前にはほとんど手のつけられていない野菜サンドイッチの皿が置かれている。空腹だからというよりは、時間稼ぎのために注文されたものらしい。ときどき思い出したように本を読む姿勢を変える。テーブルに肘をついたり、シートに深くもたれかかったりする。顔をあげて深呼吸をし、店の混み具合を点検したりもする。しかしそれを別にすれば、一貫して読書に集中している。集中力は彼女の大事な個人的資産のひとつであるようだ。

一人客が多く見受けられるようになっている。ノート・パソコンを使って書き物をしているものもいる。携帯電話でメールをやりとりしているものもいる。彼女と同じように読書にふけっているものもいる。何もせず、ただじっと窓の外を眺め、考えごとをしているものもいる。眠れないのかもしれない。眠りたくないのかもしれない。ファミリー・レストランは、そのような人々にとっての深夜の身の置き所なのだ。

大柄な女が、ガラスの自動ドアが開くのを待ちきれないという様子で、店内に入ってくる。体格はいいが、太っているわけではない。肩幅も広く、見るからにがっしりしている。黒い毛糸の帽子を深くかぶっている。大きな革のジャンパーに、オレンジ色のズボン。手ぶらだ。その精悍な風貌は人目を引く。店内に入ると、ウェイトレスが「お一人様ですか？」と寄ってくるが、彼女はそれを黙殺する。鋭い目で店内をさっと見回す。そしてマリの姿を見つけると、見当をつけて、大きな歩幅でまっすぐそちらに向かう。

彼女はマリのテーブルに行くと、何も言わずにその向かいのシートに腰を下ろす。図体の大きさのわりに、動作は機敏で無駄がない。

「あの、ちょっといいかな？」とその女は言う。

読書に集中していたマリは顔を上げる。そして向かいの席に知らない大柄な女が座っているのを発見して、驚く。

女は毛糸の帽子を脱ぐ。髪は派手な金髪で、手入れの良い芝生みたいに短くカットされている。顔だちは開けっ広げで、長いあいだ風雨に晒《さら》されてきた雨具のように、ごわごわとしている。左右のバランスもうまくとれていない。しかしよく見るとそこには、何かしら相手を安心させるものがある。それはたぶん、生来の人なつっこさのようなものなのだろう。彼女はあいさつがわりに、唇を片方に曲げるようにして微笑み、厚い手のひらで短い金髪をごしごしと撫でる。

ウェイトレスがやってきて、マニュアルどおり水のグラスとメニューをテーブルに置こうとするが、女は手を振ってそれを断わる。「いや、すぐに行くからいらない。ごめんな」

ウェイトレスは落ち着きの悪いほほえみを浮かべて歩き去る。

「浅井マリさんだね？」と女は言う。

「はい。そうですが」

「タカハシから聞いてきたんだ。あんたはたぶんまだここにいるだろうって」

「タカハシ？」

「タカハシ・テツヤ。背が高くて、髪が長くて、ひょろっとしたやつ。トロンボーンやってる」

マリはうなずく。「ああ、あの人」

「それでタカハシに聞いたんだけど、あんた中国語がべらべらにしゃべれるんだって？」

「日常的なことならいちおう話せます」とマリは用心深く答える。「べらべらっていうほどじゃないけど」

「それじゃ、悪いけどさ、あたしと一緒に来てくれないかな。うちで中国人の女の子がちっとやばいことになっててさ。でも日本語がしゃべれないんだ。何がどうなってんだか、さっぱり事情がわからない」

マリはよく理解できないながら、本にしおりをはさみ、閉じて、わきに押しやる。「やばいこと？」

「ちょいと怪我してたね。この近くなんだよ。歩いてすぐ。そんなに手間はとらせない。何があったのか、おおまかなところを通訳してくれるだけでいいんだ。恩に着るよ」

マリは少し迷うが、相手の顔を見て、悪い人間ではないだろうと見当をつける。本をショルダーバッグに入れ、スタジアム・ジャンパーを着る。テーブルの上の勘定書をとろうとするが、その前に女が手を伸ばす。

「これはうちが払うよ」

「いいです。私が頼んだものだから」

「いいって、それくらい。黙ってあたしに払わせてくれ」

立ち上がると、女がマリに比べてずっと大きいことがわかる。マリは小柄な娘だし、相手の女は農具を入れる納屋並みに頑丈にできている。身長は１７５センチはあるだろう。マリはあきらめて、女に勘定を払わせる。

二人はデニーズの外に出る。この時刻になっても、外の通りはまだ相変わらずにぎやかだ。ゲームセンターの電子音、カラオケ・ショップの呼び込み。バイクの排気音。三人連れの若い男が、何をするともなく閉まったシャッターの前に座り込んでいる。マリとその女が通り過ぎていくのを、彼らは顔を上げて興味深そうにじっと眺める。たぶん奇妙な組み合わせに見えるのだろう。でも何も言わない。ただ眺めているだけ。シャッターはスプレーペンキの落書きだらけだ。

「あたしはカオルっていうんだ。カオルっていう柄でもないけどさ、まあいちおう生まれたときからそういう名前になってる」

「よろしく」とマリは言う。

「悪かったね。急に連れ出したりして。びっくりしただろう」

どう言えばいいのかわからないので、マリは黙っている。

「バッグ、持ってやろうか。ずいぶん重そうだな?」とカオルは言う。

「大丈夫です」

「何が入ってるんだい?」

「本とか、着替えとか……」

「家出してきたんじゃないよね?」

「そういうんじゃないです」とマリは言う。

「じゃ、いいんだけどさ」

二人は歩き続ける。繁華街から逸れて細い道に入り、坂道を上っていく。カオルは足早に歩き、マリはそれについていく。人気のないうす暗い階段を上り、別の通りに出る。階段が通りと通りを結ぶ近道になっているらしい。いくつかのスナックの看板にはまだ明かりがついているが、人の気配はまるで感じられない。

「そこのラブホだよ」とカオルは言う。

「ラブホ？」

「ラブホテル。カップル・ホテル。要するに、連れ込み。『アルファヴィル』ってネオンの看板が出てるだろ？ あれだよ」

マリはその名前を聞いて、思わずカオルの顔を見る。「アルファヴィル？」

「大丈夫だよ。変なところじゃない。あたしがそのホテルのマネージャーをやってるんだ」

「そこに怪我をした人がいるんですか？」

カオルは歩きながら後ろを振り向く。「そう。ちっとばかし面倒な話でね」

「タカハシさんもそこにいるんですか?」

「いや、ここにはいない。近くのビルの地下室で、朝までバンドの練習してるよ。学生さんは気楽なもんだ」

二人はホテル「アルファヴィル」の入り口の中に入る。客は玄関で各室内のパネル写真を見て好みの部屋を選び、番号ボタンを押して、キーを受け取る仕組みになっている。そのままエレベーターに乗って部屋に行く。誰かと顔を合わせる必要もないし、口をきく必要もない。休憩料金と一泊料金の二種類がある。薄暗いブルーの照明。マリはもの珍しそうにそういうあれこれを眺める。カオルは奥のフロントの女性に軽く声をかける。

「あんた、ひょっとしてこういうところに来たことないんだろ?」とカオルはマリに言う。

「初めてです」

「ま、いろんな商売があるんだよ、世間には」

カオルとマリは客用エレベーターで、上にあがる。狭い短い廊下を通って、404というナンバーのついたドアの前に立つ。カオルが小さく二度ノックすると、すぐに内側からドアが開く。髪を真っ赤に染めた若い女が不安げに顔を出す。やせて、顔色が悪い。ピンクの大ぶりのTシャツに、穴の開いたブルージーンズというかっこう。耳に大きなピアス。

「ああよかった、カオルさん。けっこー時間かかりましたね。待ってたんすよ」

と赤毛の女は言う。

「どうだい?」とカオルは尋ねる。

「相変わらず、すけど」

「血は止まった?」

「はあ、なんとか。ペーパータオルをしこたま使いましたけど」

カオルはマリを中に入れる。そしてドアを閉める。部屋の中では赤毛の女のほかに、もう一人の女の従業員がいる。小柄で、黒い髪をアップにして、床にモップをかけている。カオルはマリに二人の従業員を紹介する。

「マリさんだよ。さっき話してた、中国語が話せるって人。この髪の赤い子はコムギっていうんだ。変てこな名前だけど、本名。うちで長いこと働いている」

コムギは愛想良くにっこりする。「よろしくね」

「よろしく」とマリは言う。

「あっちの子はコオロギ」とカオルは言う。「これは本名じゃないけどね」

「すいません。本名は捨てましてん」とコオロギは関西弁で言う。彼女はコムギよりいくつか年上に見える。

「よろしく」とマリは言う。

部屋には窓がない。そのせいで息苦しい。部屋の広さに比べて、ベッドとテレビのサイズがいやに大きい。部屋の隅、床の上に裸の女が身を縮めるようにうずくまっている。バスタオルで身体を隠し、両手で顔を覆って声を出さずに泣いている。床の上に血に染まったタオルがある。ベッドのシーツの上にも血がこぼれている。フロア・スタンドがひっくりかえっている。テーブルの上には中身が半分以上残ったビール瓶。グラスがひとつ。テレビがついている。お笑い番組をやっている。観客の笑い声。カオルがリモコンを手にとってスイッチを切る。

「けっこうきつく殴られたみたいだ」とカオルがマリに言う。

「相手の男の人に?」とマリは尋ねる。

「ああ、客にね」

「客って、売春ですか？」

「そう、この時間帯はプロが多いんだ」とカオルは言う。「だからたまにややこしいことがある。金の支払いでもめたり、変態っぽいことをしたがるやつがいたりでさ」

マリは唇をかんで、考えをまとめている。

「それで、この人、中国語しかしゃべれないんですね」

「日本語はほんの片言だけ。でも警察を呼ぶわけにはいかない。おおかた不法滞在だろうし、こっちだっていちいち警察まで行って調書を取られたりしている暇はないんだ」

マリはショルダーバッグを肩からはずしてテーブルの上に置き、うずくまっている女のところに行く。身を屈め、中国語で話しかける。

「你怎么了？〈どうしました？〉」

女は聞こえているのかいないのか、返事をしない。肩を震わせ、しゃくりあげている。

カオルは首を振る。「ショックだったんだよ。しっかり痛めつけられたみたいだからさ」

マリは女に語りかける。「是中国人吗？〈あなたは中国から来たんですか？〉」

女は相変わらず返事をしない。

「放心吧、我跟警察没关系。〈安心してください。私は警察のものではありませんん〉」

女は相変わらず返事をしない。

「你被他打了吗？〈男の人に乱暴されたんですか？〉」とマリは尋ねる。

女はようやくうなずく。黒い長い髪が揺れる。

マリは我慢強く、穏やかな声で女に話しかける。同じ質問を何度か繰り返す。

カオルは腕組みをして、二人のやりとりを心配そうに眺めている。そのあいだ、コムギとコオロギは手分けして部屋の片づけにかかる。血のついたペーパータオルを集めてビニールのゴミ袋に入れる。汚れたシーツをベッドから引きはがし、バスルームのタオルを新しいものに取り替える。フロア・スタンドをもとに戻し、ビール瓶やグラスをもっていく。備品をチェックし、バスルームの清掃をする。いつも組んで仕事をしているらしく、二人の動きは手慣れていて無駄がない。

マリは部屋の隅にかがみ込んで、女と話している。言葉が通じるせいで女はいくらか落ちつきを取り戻したようだ。切れ切れではあるけれど、マリに向かって中国語で事情を説明している。ひどく小さな声なので、耳を近づけないと聞き取れない。マリはうなずきながら、熱心にその話を聞いている。ときどき励ますようにちょっとしたことを言う。

カオルが背後からマリの肩をそっと叩いて言う。「悪いんだけどさ、この部屋は新しいお客のために使わなくちゃならない。だからこの子、下の事務所に連れていくよ。あんたも一緒に来てくれるかな?」

「でもこの人、まったく裸なんです。身につけていたものはそっくり相手の男に持って行かれたということです。靴から下着まで、何もかも」

カオルは首を振る。「すぐに通報できないように、身ぐるみはいでいったんだね。悪質なやつだな、まったく」

カオルはクローゼットから薄っぺらなバスローブを取り出し、マリに渡す。

「とりあえず、それを着せておいて」

女は力なく立ち上がり、なかば放心状態でバスタオルを取り、そのまま全裸になり、よろめきながらバスローブを身にまとう。マリはあわてて目をそらす。小柄だが美しい身体だ。かたちのいい乳房、滑らかな肌、影のようにひっそりとした陰毛。年頃はたぶんマリと同じくらいだろう。身体つきにはまだ少女の面影がある。足もとが不確かなので、カオルはその女の肩を抱きかかえるようにして部屋を出る。そして従業員用の小さなエレベーターで下に降りる。バッグを持ったマリがそれに続く。コムギとコオロギは部屋に残って清掃を続ける。

三人の女はホテルの事務所に入る。部屋の壁に沿って段ボール箱が積み重ねてある。スチールの事務机がひとつ、簡単な応接セット。事務机の上にはパソコンのキーボードと液晶のモニター画面がある。壁にはカレンダーと、相田みつをの書の入った額と、電気時計がかかっている。ポータブル・テレビがあり、小型冷蔵庫の上には電子レンジが置かれている。人が三人入ると部屋はかなり手狭になる。バスローブを着た中国人の娼婦を、カオルはソファに座らせる。彼女は寒そうにバスローブの前をしっかりとあわせている。

カオルはスタンドの光をあてて、娼婦の顔の傷をあらためて点検する。薬品箱を持ってきて、薬用アルコールとカット綿を使って顔にこびりついている血を丁寧にふき取ってやる。傷口にバンドエイドを貼る。鼻筋が曲がってないかどうか、指で撫でて確かめる。瞼を上げて、目の充血の具合を調べる。頭にこぶがないか、手でさわってみる。そういうことに日頃から馴れているらしく、驚くほど手際がいい。冷蔵庫から保冷剤のようなものを出し、それを小さなタオルで巻いて女に渡す。

「ほら、これをしばらく目の下のところにあててな」

相手に日本語が通じないことを思い出して、カオルはそれを目の下にあてる真似をする。女はうなずいてそのとおりにする。

カオルはマリに向かって言う。「ずいぶん派手に血が出てたけど、おおかたは鼻血だ。さいわい、大きな傷はない。頭にこぶはないし、鼻の骨も折れてないみたいだ。目尻と唇が切れてるけど、縫うほどのこともない。まああと一週間くらい、殴られたあとは目のまわりに黒くなって残るし、客商売には差し支えるだろうけどさ」

マリはうなずく。

「力はあるんだろうが、殴り方はど素人だな」とカオルは言う。「こんなやみくもな殴り方したら、手の方だって相当痛いはずだよ。おまけに力余って、部屋の壁まで殴りつけてやがる。何ヵ所か軽くへこんでたよ。頭がぶち切れちまったんだね。あとさき考えてない」

コムギが部屋に入ってきて、壁際に積み重ねられた段ボール箱の中から何かを取り出す。404号室に補充するための新しいバスローブだ。

「バッグもお金も携帯電話も、みんなその男に持って行かれたそうです」とマリは言う。

「それ、やり逃げってこと?」とコムギが横から口を出す。

「そうじゃなくて、つまり、なんていうか……、始める前に急に生理が始まったらしいんです。予定より早く。それで男の人が怒りだしちゃって……」

「しょうがないじゃないよねえ、そんなこと」とコムギは言う。「あれって、始まるときは突然始まっちゃうんだからさ」

カオルは舌打ちする。「いいから、おまえは無駄口たたいてないで、さっさと

「404の片づけしてきな」

「はい。すいません」とコムギは言って、事務所を出ていく。

「さあやろうと思ったら、女が生理になって、それでキレちまって、ぼこぼこにぶん殴って、金と服をはぎとって消えてしまったわけだ」とカオルは言う。「問題あるよな、そいつ」

マリはうなずく。「シーツを血でよごしちゃって申し訳ないって言ってます」

「それはべつにかまわない。うちもその手のことには馴れてる。なんでか知らないけど、ラブホで生理が始まる子が多いんだよ。しょっちゅう電話かけてくるんだ。ナプキン貸してくれ、タンポン貸してくれって。うちはマツキヨじゃねえんだよって言いたくなるけどね。でもとにかく、この子に何か着せなくちゃな。このままじゃどうしようもない」

カオルは段ボール箱の中を探して、ビニールパックに入った下着を取り出す。部屋の自動販売機に入れておくための実用的なものだ。「間に合わせの安物だからさ、洗濯はきかないけど、とりあえずそれを使えばいい。パンツはいてないと、すうすうして落ち着かねえだろう」

それからカオルはクローゼットの中を探しまわり、色の褪せた緑色のジャージの上下をみつけて、娼婦に渡す。

「前にうちで働いてた女の子が置いてったものなんだ。いちおう洗濯はしてあるからきれいだよ。これなら返してくれなくていい。履くものはゴムサンダルくらいしかないけど、まるっきり裸足よりはいいだろう」

マリがそれを女に説明する。カオルは戸棚を開き、生理ナプキンをいくつか出す。それを娼婦に渡す。

「これも使いな。そこのトイレの中で着替えておいで」、そう言って、洗面所のドアを顎で示す。

娼婦はうなずいて、「ありがとう」と日本語で言う。そして手渡された衣類を抱えて、洗面所に入る。

カオルは机の前の椅子に座り、ゆっくり首を振り、長いため息をつく。「こんな商売をしてるとさ、まあね、いろんなことがあるんだよ」

「日本に来て、まだ二ヵ月ちょっとなんだそうです」とマリは言う。

「不法滞在なんだろ、どうせ?」

「そこまでは聞いてませんけど、言葉からすると、北の方の出身みたいです」

「昔の満州の方か」

「たぶん」

「ふうん」とカオルは言う。「それで、とりあえず誰かがここまで引き取りに来てくれるのかな？」

「この仕事を仕切っている人がいるみたいです」

「中国人の組織だよ。このあたりの売春の元締めやってるんだ」とカオルは言う。「中国本土から女の子を船で密入国させて、その渡航費を身体で払わせるんだよ。電話注文を受けて、バイクで女をホテルまで配達する。ピッツァの出前みたくさ、ほかほかで届く。うちのお得意さんだ」

「組織って、やくざみたいなものですか？」

カオルは首を振る。「いやいや、あたしはずっと女子プロレスやってたからさ、巡業なんかもあって、やくざの知り合いも何人かいる。でもね、中国人の裏組織の連中に比べたら、日本のやくざなんてまだかわいいもんだ。とにかく何をやるか予測がつかないようなやつらだ。しかしこの子としちゃ、あいつらのところっか、戻る場所がないんだよ。今さらより好みはできない」

「今日のぶんのお金がもらえなくて、それでその人たちにひどい目に遭わされるんでしょうか？」

「さあどうだろうな。いずれにしてもこのご面相じゃ、しばらく客商売はできないだろうし、稼ぎがなくちゃなんの値打ちもない。きれいな子だけどね」

娼婦が洗面所から出てくる。色あせたジャージの上下に、ゴムサンダルというかっこう。ジャージの胸にはアディダスのマークがついている。顔のあざはくっきりと残っているが、髪は前よりきれいに整えられている。着古されたジャージを着ていても、唇が腫れ上がり、顔にあざができていても、美しい女だ。

カオルは娼婦に日本語で尋ねる。「あんた、電話使いたいんだろ？」

マリはそれを中国語に翻訳する。「要打电话吗？〈電話、使いたいですか？〉」

娼婦は片言の日本語で答える。「はい、ありがとう」

カオルはコードレスの白い電話機を娼婦に渡す。娼婦は番号を押し、電話に出た相手に、中国語の小さな声で報告をする。相手が早口で何ごとか怒鳴り、彼女は短く返事をする。そして電話を切る。深刻な顔つきで電話機をカオルに返す。

娼婦はカオルに向かって日本語で礼を言う。「どうも、ありがとう」。それからマリに向かって言う。「马上有人来接我。〈人がここに迎えにきます。すぐに〉」

マリはカオルに説明する。「迎えがすぐに来るみたいです」

カオルはしかめ面をする。「そういえば、ホテル代もらってないんだよな。普通は相手の男が払っていくものなんだけど、払わないでそのまま行っちまいやがった。ビール代までついてる」

「迎えに来た人に払ってもらいますか？」とマリは尋ねる。

「うーん」と言って、カオルは考え込む。「そううまくいけばいいけどね」

カオルは急須にお茶の葉を入れ、ジャーから湯を入れる。それを三つの湯飲みに注いで、ひとつを中国人の娼婦に渡す。娼婦は礼を言ってそれを受け取り、飲む。唇が切れているので、熱いお茶は飲みにくいようだ。ひとくち飲んで眉をしかめる。

カオルはお茶を飲みながら、娼婦に向かって日本語で話しかける。

「しかしあんたも大変だよな。はるばる日本まで密航して来て、そのあげくあいつらにこうやってしゃぶられ続けるんだもんな。故郷での暮らしがどんなだったのか知らないけど、こんなとこ来ない方がよかったんじゃないの？」

「通訳しますか？」とマリは尋ねる。

カオルは首を振る。「しなくていいよ。ただのしがない独り言だ」

マリは娼婦に話しかける。「你几岁了？〈歳はいくつなの？〉」

「十九。〈十九〉」

「我也是。叫什么名字？〈私も同じ。名前は？〉」

娼婦は少し迷ってから答える。「〈郭冬莉《グオ・ドンリ》〉」

「我叫玛丽。〈私の名前はマリ〉」

マリは女に小さく微笑みかける。それはささやかではあるけれど、真夜中を過ぎてからマリが初めて見せた笑顔だ。

ホテル「アルファヴィル」の入り口の前、一台のバイクが止まる。ホンダの精悍な大型スポーツ・バイク。フルフェイスのヘルメットをかぶった男。何かあればすぐに立ち去れるように、エンジンはつけっぱなしにしてある。ぴったりとした黒い革のジャンパーにブルージーンズ。深いバスケットボール・シューズ。分厚い手袋。男はヘルメットを取り、タンクの上に置く。周囲を注意深く見渡してから、片方の手袋を脱ぎ、ポケットから携帯電話を出す。そして番号を押す。三十歳くらいの男。茶髪、ポニーテール。額は広く、頬がそげていて、目つきが鋭い。簡単な会話が交わされる。男は携帯電話を切り、ポケットにしまう。手袋をはめ、そのままの姿勢で待つ。

やがてカオルと娼婦とマリの三人が玄関から出てくる。娼婦はぱたぱたとゴムサンダルの音を立てながら、疲れた足どりでバイクの方に歩いて行く。気温はさっきより下がっていて、ジャージの上下だけでは寒そうだ。バイクの男が娼婦に向かって鋭い声でなにごとかを告げ、女が小さな声で返事をする。

カオルはバイクの男に向かって言う。「あのさ、お兄さん、うちらはまだホテル代もらってないいんだけどね」

男はひとしきりカオルの顔を見ている。それから言う。「ホテル代、うちは払わない。男が払う」。男の言葉はアクセントを欠いている。平板で、表情がない。

「それは存じあげてるよ」とカオルはしゃがれた声で言う。ひとつ咳払いをする。「でもさ、お互いこうやって狭いとこで顔つきあわせて商売しててんじゃないか。今回のことでは、こっちもそれなりに迷惑かかったんだ。いちおう暴行傷害事件だからね、警察に電話してもよかったんだよ。しかしそれだと、あんたらだってちっと困るだろ? だからさ、とりあえず部屋代6800円払ってくれたら、うちらはそれでいいんだ。ビール代はおまけしてやるよ。痛み分けだ」

男は感情を欠いた目でひとしきりカオルを見ている。顔を上げてホテルのネオン看板を見る。「アルファヴィル」。それからもう一度手袋を取り、ジャンパーのポケットから革の札入れを取り出し、千円札を七枚数え、足下に落とす。風がないので、紙幣はまっすぐ地面に落ち、そこに留まっている。男はまた手袋をはめる。腕を上げて腕時計に目をやる。ひとつひとつの動作は不自然なくらいゆっくりしている。男は決して急いでいない。彼は自分の存在の重さを、そこにいる三人の女たちに見せつけているように見える。何をするにせよ、彼は好きなだけ時間をかけることができるのだ。そのあいだバイクのエンジンは、気の急いた獣のようにぼろぼろと深い音を立て続けている。

「あんた、度胸あるな」と男はカオルに言う。

「ありがとうよ」とカオルは言う。

「警察に電話すると、このあたりで火事が出るかもしれない」と男は言う。

しばらく深い沈黙が続く。カオルは目をそらさず、腕組みをし、相手の顔を見ている。顔に傷をつけられた娼婦は、やりとりを理解できないまま、不安げに二人の顔を見比べている。

男はやがてヘルメットを手に取り、頭からかぶり、手招きして、女をバイクの後ろに乗せる。女は両手で彼のジャンパーにつかまる。彼女は振り返り、マリの顔を見て、カオルの顔を見る。それからまたマリの顔を見る。何かを言いたそうだが、結局何も言わない。男はペダルを強くキックし、アクセルをまわし、去っていく。排気音が深夜の街に重々しく響き渡る。あとにはカオルとマリが二人で残される。カオルは身を屈め、地面に落ちた千円札を一枚一枚拾い集める。札の向きを揃え、二つ折りにしてポケットに突っ込む。深く息を吸い込み、短い金髪を手のひらでごしごしとこする。

「ったく、もう」と彼女は言う。

4

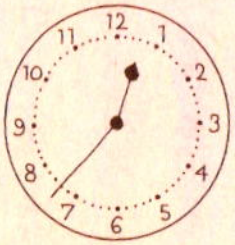

am

浅井エリの部屋。

部屋の中の様子に変化はない。ただ、椅子に座った男の姿がさっきより大写しになっている。私たちはその人物の姿を、かなり明瞭に目にすることができる。電波はまだいくらか障害を受けており、折に触れてぐらりと画像が揺れ、輪郭が歪み、質量が薄らぐ。耳障りな雑音も高まる。脈絡のない別の映像が瞬間的に挿入されることもある。しかし混乱はすぐに修復され、本来の画像が戻ってくる。

浅井エリはやはり、ベッドの中でひっそりと深く眠り続けている。テレビ画面の発する人工的な色あいの光が、彼女の横顔に動きのある陰影を作り出しているが、それによって眠りが乱されることはない。

画面の中の男は、濃い茶色のビジネス・スーツを着ている。もともとは立派な、見栄えのいいスーツだったのかもしれないが、今では見るからにくたびれている。袖や背中のあちこちに白いほこりのようなものが付着している。先の丸い黒の革靴をはいているが、靴にもやはりほこりがついている。どこか深くほこりの積もった場所を通り抜けて、彼はこの部屋までやってきたのだろうか？　白いレギュラーカラーのシャツに、無地の黒いウールのネクタイ。シャツにもネクタイにも、同じように疲労の色が浮かんでいる。髪は白髪混じりだ。いや、白髪ではなく、黒い髪に白いほこりがついているだけかもしれない。いずれにせよ、男の髪は、長いあいだまともに櫛を入れられていないように見える。それでも男の身なりには、不思議にだらしない印象はない。みすぼらしい雰囲気もない。何かしらやむを得ない事情があって、洋服ごとほこりをかぶり、深く疲弊《ひへい》しているだけなのだ。

顔を見ることはできない。今のところテレビのカメラがとらえて映し出すのは、この男の後ろ姿か、顔以外の身体のほかの部分だけだ。光の角度の加減だろうか、それとも意図的にだろうか、顔の部分は常に暗い陰になって、私たちの目の届かないところにある。

男は動かない。ときおり大きく長く息をつき、それにあわせて両方の肩がゆるやかに上下するだけだ。長いあいだひとつの部屋に監禁されてきた人質のようにも見える。男のまわりには何かしら、引き延ばされたあきらめのようなものが漂っている。しかし彼はべつに縛りつけられているわけではない。椅子に座って、背筋をのばし、静かに呼吸をしながら、前方の一点をじっと見つめているだけだ。動かないと自分で決めているのか、それとも何かの理由で現実的に動けない状態に置かれているのか、そこまでは見てとれない。両手は膝の上に揃えて載せられている。時刻は不明だ。夜なのか昼なのか、それもわからない。しかし天井に列をなした螢光灯の照明のおかげで、部屋の中は夏の午後のように白々としている。

やがてカメラは前にまわりこんで、男の顔を正面から映し出す。それでも男の素性は明らかにならない。謎はむしろ深まるばかりだ。彼の顔全体が、半透明なマスクで包まれているからだ。それはフィルムのようにぴたりと顔に密着しているので、マスクと呼ぶこともためらわれるほどである。しかしどれほど薄くとも、仮面としての目的はじゅうぶんに果たされている。それは光を淡く艶やかに反射させながら、彼の顔立ちや表情を、怠りなく背後に隠匿《いんとく》している。私たちにかろうじて推測できるのは、顔のおおよその輪郭だけだ。マスクには、鼻や口や目の穴さえ開けられていない。それでも呼吸をしたり、ものを見たり、音を聞いたりすることに不便はないみたいだ。通気性や透過性に優れているのだろう。しかしその匿名的な外皮がどのような素材を用いて、どのような技術で作られたのか、外から見ただけでは見当がつかない。そのマスクには呪術性と機能性が等しく備わっている。それは古代から闇とともに伝えられたものでもあるし、また未来から光とともに送り込まれてきたものでもある。

マスクの真の不気味さは、顔にそれほどぴたりと密着しているにもかかわらず、その奥にいる人間が何を思い、何を感じ、何を企てているのか（あるいはいないのか）、まったく想像がつかないところにある。男の存在が良きものなのか、悪しきものなのか、彼の抱いている思いが正しきものなのか、歪んだものなののか、その仮面が彼を隠すためのものなのか、それとも彼を護るためのものなのか、判断するための手がかりがない。男は精緻な匿名の仮面を顔にかぶせられ、静かに椅子に座り、テレビ・カメラにとらえられ、そこにひとつの状況を作り出している。とりあえず私たちは判断を保留し、その状況をありのまま受け入れるしかなさそうだ。彼を「顔のない男」と呼ぶことにする。

カメラのアングルは今ではひとつに固定されている。カメラは「顔のない男」の姿を正面、いくぶん下方から見据えたまま動かない。茶色のスーツを着た男は身動きひとつせず、テレビのブラウン管から、ガラス越しにこちら側を見ている。つまり彼は向こう側から、私たちのいる部屋の中をまっすぐのぞき込む格好になっているわけだ。もちろん彼の目は、艶のあるミステリアスな仮面の奥に隠されている。しかしそれでもその視線の存在を、その重みを、ありありと感じることができる。彼は揺らぐことのない決意を持って、前方にある何かを見つめている。顔の角度からすると、どうやら浅井エリのベッドのあたりを見つめているようだ。私たちはその仮説的な視線を注意深く辿ってみる。そう、間違いない。仮面の男がかたちのない目で見つめているのはやはり、こちら側のベッドで眠り続けているエリの姿だ。というか、彼は最初から一貫して、彼女の姿だけを眺め続けてきたのだ。その事実を私たちはここでようやく理解することになる。彼にはこちらを見通すことができるのだ。テレビの画面は、こちら側の部屋に向かって開いた窓として機能している。

画像がときどきふらつき、再び回復する。電気的な雑音が高まることもある。その雑音は、誰かの脳波の動きを、信号として増幅したもののようにも聞こえる。それは密度を増して高揚するが、ある地点まで達すると頭打ちになり、退行を始め、やがて消滅する。そして思い直したようにまた浮かび上がる。その繰り返しだ。しかし「顔のない男」の視線が揺らぐことはない。彼の集中が乱されることもない。

ベッドの中で眠り続ける美しい娘。まっすぐな黒い髪は、枕の上に意味深い扇となって広がっている。柔らかく結ばれた唇。海の底に沈んだ心。テレビ画面がちらつくたびに、横顔にあたった光が揺れ、陰影が不可解な記号となって躍る。簡素な木製の椅子に座って、無言のまま彼女を見つめている「顔のない男」。彼の両肩が、ときおりの呼吸にあわせてこっそりと上下する。早朝の穏やかな波に

78

揺られる無人のボートのように。
部屋の中にはそれ以外の動きはない。

5

am

マリとカオルが人気のない裏通りを歩いている。カオルがマリをどこかに送り届けているところだ。マリは紺色のボストン・レッドソックスの帽子を深くかぶっている。その帽子をかぶると男の子のように見える。帽子を持ち歩いているのはたぶんそのためだろう。

「いてくれてよかったよ」とカオルは言う。「何がなんだかわけがわからないところだったからね」

二人は行きに上がってきたのと同じ近道の階段を下りている。

「あのさ、もし時間があるんだったら、どっかにちらっと寄っていかないか」とカオルが声をかける。

「どっか？」

「喉が渇いたよ。冷たいビールがひとくち飲みたくなった。あんたは？」

「お酒は飲めないんです」とマリは言う。

「ジュースかなんか飲めばいい。どうせ朝までどっかで時間をつぶすんだろ？」

二人は小さなバーのカウンターに腰掛けている。店にはほかに客はいない。ベン・ウェブスターの古いレコードがかかっている。『マイ・アイデアル』。一九五〇年代の演奏だ。ＣＤではなく、昔ながらのＬＰレコードが40枚か50枚くらい棚に並んでいる。カオルは細長いグラスに入った生ビールを飲んでいる。マリの前にはライムを絞り入れたペリエが置かれている。初老のバーテンダーはカウンターの中で黙々と氷を削っている。

「でも、きれいな人でしたね」とマリは言う。

「あの中国人のこと？」

「ええ」

「ああ。しかしあんなことしてちゃ、いつまでもきれいではいられないよ。すぐにやつれて老けちまう。ほんとだよ。そういうの、いっぱい見てきた」

「あの人、私と同じ19歳なんです」

「でもな」とカオルは言って、つまみのナッツをかじる。「いくつでも関係ないんだよ。仕事がきついから、なかなか普通の神経じゃやってられないし、だからって注射打ったりしたら、もうおしまいだ」

マリは黙っている。

「あんた、大学生?」

「はい。外国語大学で中国語を勉強しています」

「外国語大学か……」とカオルは言う。「学校を出てどんなことするの?」

「できたら、個人で翻訳か通訳の仕事みたいなのをやりたいって思ってるんです。会社勤めには向かないみたいだから」

「頭がいいんだね」

「べつによくありません。でも小さい頃から親にずうっと言われてきたんです。

お前は器量がよくないから、せめて勉強くらいできなくちゃどうしようもないんだって」

カオルは目を細めてマリの顔を見る。「だって、あんたはじゅうぶん可愛いじゃないか。お世辞とかじゃなくてさ、マジに。器量がよくないってのは、あたしみたいな人間のことを言うんだよ」

マリは小さく肩をすぼめるような、どことなく窮屈な動作をする。「うちのお姉さんはずば抜けてきれいだし、人目を引くから、小さいときからいつも比較されてきたんです。同じ姉妹でずいぶん違うもんだって。たしかに比べられちゃうと、どうしようもないの。私はちびだし、胸も小さいし、髪は癖毛だし、口が大きすぎるし、おまけに乱視入りの近視だし」

カオルは笑う。「人はそういうのを個性って呼ぶんだよ、普通」

「でも、うまくそんな風に思えないんです。器量が良くないって小さいときから言われ続けていると」

「だからせっせとお勉強した？」

「いちおう。でも人と成績を競ったりするのは好きじゃなかった。運動も得意じゃないし、友だちもできなくて、いじめみたいなこともあって、それで小学校三年生のときに学校に行けなくなってしまったんです」

「登校拒否？」

「学校に行くのが嫌でたまらなくて、朝になると食べたものを戻したり、すごくお腹をこわしたりして」

「ふうん。あたしなんか成績はとんでもなく悪かったけどさ、毎日学校に行くのはそんなに嫌じゃなかったな。気に入らないやつがいたら、相手かまわず殴りまわしてやったからね」

マリは微笑む。「私もそうできたらよかったんですけど……」

「まあいいや、それは。とりたてて世間に自慢できるようなことでもないしな。……で、どうしたの？」

「横浜に中国人の子供たちのための学校があって、近所の幼なじみの女の子がそこに通っていました。授業の半分は中国語だったけど、日本の学校と違って、成績のことでがつがつしなくてよかったし、その友だちもいたし、そこなら行ってもいいような気がしたんです。親はもちろん反対したけど、私を学校に行かせる方法がほかになかったから……」

「よほど頑固だったんだね」

「そうかもしれない」とマリは認める。

「その中国人の学校は、日本人でも入れてくれるんだ」

「はい。何か資格が必要ってわけじゃないんです」

「でも、そのときは中国語はできなかったんだろ？」

「ええ。ぜんぜん。でもまだ小さかったし、友だちも手伝ってくれたし、言葉はすぐに覚えました。とにかく、のんびりした学校なんです。中学校から高校まで、ずっとそこにいました。でも親にしてみれば、あまり面白くなかったようです。私には、世間的に有名な進学校に行って、ゆくゆくは弁護士か医者みたいな専門職について、みたいなことが期待されていたんです。役割分担っていうか……、白雪姫みたいなお姉さんと、秀才の妹」

「お姉さんはそんなに美人なの？」

マリはうなずいて、ペリエをひとくち飲む。「中学生のころから雑誌のモデルをしていました。十代の女の子向けの、お嬢様雑誌みたいなやつ」

「ふうん」とカオルは言う。「そんな派手なお姉さんが上にいるってのは、たしかに重ったいかもしれないな。しかしそれはそれとして、あんたみたいな子が、どうして真夜中にこんなところを一人でうろうろしてんだい？」

「私みたいな？」

「なんていうか、見るからにまともな子ってことだよ」

「うちに帰りたくなかったんです」

「家族と喧嘩したとか？」

マリは首を振る。「そういうんじゃないんです。ただ一人でどっか家じゃないところにいたかったんです。夜が明けるまで」

「こういうの、前にもやったことあるの？」

マリは黙っている。

カオルは言う。「余計なお世話かもしれないけど、正直な話、この街はまともな女の子が一人で夜を明かすのに向いたところじゃないからね。危いやつらもうろうろしてる。このあたしだって、何度かやばい目にあいかけた。終電車が出ちまってから、始発電車がやってくるまで、ここは昼間とはちょっと違う場所になるんだよ」

マリはカウンターの上に置いたボストン・レッドソックスの帽子を手にとり、つばの部分をしばらくいじっている。頭の中で何かについて考えている。でも結局、その考えを彼女は追い払う。

マリは穏やかな、でもきっぱりとした口調で言う。「すみません。何かべつの話をしていいですか？」

カオルはナッツをいくつか手にとり、まとめて口に入れる。「もちろん。いいよ。なんか違う話をしよう」

マリはスタジアム・ジャンパーのポケットからフィルターつきのキャメルを取り出し、ビックで火をつける。

「へえ、煙草吸うんだ」とカオルは感心したように言う。

「ときどき」

「正直言ってあまり似合わないけどな」

マリは赤くなって、それでも少しだけぎこちなく微笑む。

「一本もらっていいかな？」とカオルは言う。

「どうぞ」

カオルはキャメルをくわえ、マリのライターをとって火をつける。たしかにカオルの方が煙草の吸い方がずっと様になっている。

「ボーイフレンドはいるの？」

マリは短く首を振る。「今のところ、男の子にあまり興味ないんです」

「女の子の方がいい？」

「そういうんでもなくて。よくわかんないけど」

カオルは音楽を聴きながら煙草を吸っている。身体の力を抜くと、疲労の色がわずかに顔に浮かぶ。

「さっきから聞こうと思ってたんですが」とマリは言う。「どうしてホテルの名前が『アルファヴィル』っていうんですか？」

「さあ、どうしてかなあ。たぶんうちの社長がつけたんだろう。ラブホの名前なんて、どれもいい加減なものだよ。結局は男と女がアレをやりにくるところだからさ、ベッドと風呂がありゃオーケー、名前なんて誰も気にしない。それ風のものがひとつついてりゃいいんだ。なんでそんなことを聞くわけ？」

「『アルファヴィル』って、私のいちばん好きな映画のひとつだから。ジャン・リュック・ゴダールの」

「それ、聞いたことないな」

「ずいぶん昔のフランス映画です。一九六〇年代の」

「じゃあ、そこからとったのかもしれないね。今度社長に会ったら聞いてみるよ。で、どういう意味なんだい、アルファヴィルって？」

「近未来の架空の都市の名前です」とマリは言う。「銀河系のどこかにある都市」

「じゃあ、SF映画なわけ？　『スター・ウォーズ』みたいな？」

「いや、そういうんじゃないんです。特撮とかアクションとかはなくて……、うまく説明できないけど、観念的な映画です。白黒映画で、台詞が多くて、アートシアターでやっているようなやつ」

「観念的っていうと？」

「たとえば、アルファヴィルでは涙を流して泣いた人は逮捕されて、公開処刑されるんです」

「なんで？」

「アルファヴィルでは、人は深い感情というものをもってはいけないから。だからそこには情愛みたいなものはありません。矛盾もアイロニーもありません。ものごとはみんな数式を使って集中的に処理されちゃうんです」

カオルは眉を寄せる。「アイロニーって？」

「人が自らを、または自らに属するものを客観視して、あるいは逆の方向から眺めて、そこにおかしみを見いだすこと」

カオルはマリの説明について少し考える。「そう言われてもよくわかんねーけど、でもさ、そのアルファヴィルには、セックスは存在するわけ？」

「セックスはあります」

「情愛とアイロニーを必要としないセックス」

「そう」

カオルはおかしそうに笑う。「それって考えてみれば、ラブホの名前にはけっこうあってるかもな」

身なりのいい小柄な中年の男性客が入ってきて、カウンターの端に座り、カクテルを注文し、小さな声でバーテンダーと話をする。常連客らしい。いつもの席と、いつもの飲み物。深夜の都会を住処《すみか》とする、よく正体のわからない人々の一人だ。

「カオルさんは女子プロレスをやっていたんですか?」とマリは尋ねる。

「ああ、ずいぶん長くやってたな。ガタイも大きかったし、喧嘩も強かったから、高校生のときにスカウトされて、即デビューして、それ以来悪役一本だよ。派手な金髪にして、眉毛も剃り落として、肩には赤いさそりの入れ墨まで入ってる。テレビにもちょくちょく出たんだぜ。香港とか台湾にも試合に行ったよ。小さいながら地元後援会みたいなのもついていた。あんた、女子プロレスなんて見ないんだろ?」

「まだ見たことはないです」

「まああれも、何かと大変な商売でね、結局背中を悪くして、29のときに引退した。あたしの場合、手抜きなしのオールアウトで無茶やってたから、そりゃいつかは身体だって壊れるよ。いくら丈夫にできてると言っても、ものごとには限界がある。あたしの場合さ、性分として手抜きってものができないんだ。サービス精神が旺盛っていうか、客がわあって沸くと、その気になっちまって、ついつい必要以上にやっちまう。おかげで今でも、雨が続くと背中がぐずぐず痛むんだ。そうなるとさ、なんにもせずにただじっと横になっているしかない。情ないもんだ」

カオルはごりごりという大きな音を立てて首をまわす。

「人気のあるときは金も稼いで、まわりにもちやほやされたけど、やめてみたらほとんどなあんも残ってなかったね。すっからかん。山形の田舎の親に家を建ててやったのは親孝行だからよしとしても、あとは弟がギャンブルで作った借金の返済にまわされたり、よく知らない親戚に使い込まれたり、銀行員の持ち込んできたうさんくさい投資でぱあになってたり……。そうなるともう、人だって寄ってこない。この十何年いったいあたしは何をしてきたんだろうってさ、そのときはどっぷり落ち込んだねえ。30歳を目前にして身体はがたがた、貯金はゼロ。さてこれからどうしようかと考え込んでたらさ、後援会のつてで、今のうちの社長が、ラブホのマネージャーやらないかって声をかけてくれたんだ。マネージャーっていっても、ごらんのとおり半分は用心棒みたいなもんだけどさ」

カオルは残っていた生ビールを飲み干す。そして腕時計を見る。

「仕事のほうはいいんですか？」とマリは尋ねる。

「ラブホってとこはね、このへんの時間がいちばん暇なんだ。もう電車も走ってないから、今いる客はほとんど泊まりで、朝まで動きらしい動きはない。正式にはまだ勤務中だけど、ビールの一杯くらい飲んだってばちはあたらないよ」

「朝まで仕事して、うちに帰るんですか？」

「いちおう代々木にアパートを借りてるんだけどさ、帰ったって何があるってわけじゃなし、誰が待っているわけじゃなし、ホテルの仮眠室で寝て、起きてそのまま仕事をすることの方が多いな。あんたはこれからどうするんだい？」

「どこかで本を読んで時間を潰します」

「あのさ、よかったらこのままうちにいてもいいんだよ。今日は満室じゃないし、朝まで空いてる部屋にいさせてあげることはできる。ラブホの部屋に一人でいるってのも、なかなかわびしいもんではあるけどさ、寝るにはいいぜ。ベッドだけは充実しているからな」

マリは小さく肯く。しかし彼女の気持ちははっきりしている。「ありがとう。

でも自分でなんとかできると思います」

「じゃあいいんだけどさ」とカオルは言う。

「ああ、タカハシさんはこの近くで練習してるんですか？　バンドの練習」

「ああ、タカハシね。すぐそこのビルの地下で朝までじゃかじゃかやってるよ。のぞいてみるかい？　やたらうるさいけど」

「いや、そういうんじゃないんです。ただちょっと聞いてみただけ」

「うん。でもあいつさ、なかなかいいやつだよ。見どころはある。見かけはドジっぽいけど、中身は意外にまともだ。そんなひどくない」

「カオルさんはあの人とはどういう知り合いなんですか？」

カオルは唇を結んで歪める。「それについてはなかなか面白い話があるんだけど、まあ、本人に直接聞いてみた方がいいよ。あたしの口からくっちゃべるよりはさ」

カオルがバーの勘定を払う。

「あんた、一晩うちをあけて、怒られたりしないの？」

「友だちの家に泊まりに行っていることになってます。うちの親は私のことをそんなに気にしないんです。何をしても」

「しっかりしてる子だから、放っておいても大丈夫だと思ってるんだろうね」

マリはそれについて何も言わない。

「でも、本当はそうじゃないときだってあるんだよな」

マリは軽く顔をしかめる。「どうしてそう思うの？」

「思うとか思わないとか、そういう問題じゃないんだよ。19歳であるってのはそもそもそういうことなんだ。あたしにだっていちおう19のときはあったんだから、それくらいはわかる」

マリはカオルの顔を見る。何かを言おうとするが、うまく言えそうにないので、思い直してやめる。

「この近くに『すかいらーく』がある。そこまで送ってやるよ」とカオルは言う。「そこの店長はあたしのダチだから、あんたのことを頼んでやる。朝までちゃんといさせてくれるよ。それでいいね？」

マリはうなずく。レコードが終わり、オートマチックで針が上がって、アームがアームレストに戻る。バーテンダーがプレーヤーのところにやってきて、レコードを取り替える。ゆっくりした動作でレコードをとり、ジャケットにしまう。新しいレコードを取り出し、明かりの下で盤面を点検し、ターンテーブルに載せる。ボタンを押すと、針が盤面に降りる。かすかなスクラッチ・ノイズ。それからデューク・エリントンの『ソフィスティケイティッド・レイディー』が流れ出す。ハリー・カーネイの気怠いバス・クラリネット・ソロ。バーテンダーの余裕のある動きが、この店に独特の時間の流れを与えている。

マリはバーテンダーに尋ねる。「LPレコードしかかけないんですか？」

「CDって好きじゃないんだ」とバーテンダーは答える。

「どうして？」

「ぴかぴかしすぎてる」

「あんたカラスかい？」とカオルが混ぜ返す。

「でもLPだといちいち手間がかかるでしょう？　取り替えたりするのに」とマリは言う。

バーテンダーは笑う。「だって、こんな夜中なんだ。どうせ朝まで電車はない。急いでもしかたないよ」

「このおっさんはさ、だいたいが偏屈なんだよ」とカオルは言う。

「真夜中には真夜中の時間の流れ方があるんだ」とバーテンダーは言う。音を立てて紙マッチを擦り、煙草に火をつける。「逆らってもしょうがないやね」

「私の叔父もたくさんレコードを持っていました」とマリは言う。「CDの音はどうしても好きになれないって。ほとんどがジャズ。遊びにいくとよく聴かされました。まだ小さかったから、音楽はよくわからなかったけど、古いジャケットの匂いとか、針を落としたときに聞こえるちりちりいう音とかが好きでした」

バーテンダーは何も言わずに頷く。

「ジャン・リュック・ゴダールの映画のことを教えてくれたのも、その叔父さんだったんです」とマリはカオルに言う。

「その叔父さんとは気があったんだね？」とカオルは尋ねる。

「わりに」とマリは言う。「大学の先生だったんだけど、なんだか遊び人みたいなところがあったの。でも三年前に心臓病で急に亡くなってしまって」

「よかったらまた遊びにおいで。日曜日以外は7時から店を開けてるよ」とバーテンダーは言う。

「ありがとう」とマリは言う。

マリはカウンターに置いてあった店の紙マッチを手に取り、ジャンパーのポケットに入れる。そしてスツールから降りる。溝をトレースするレコード針。気怠く、官能的なエリントンの音楽。真夜中の音楽だ。

am

「すかいらーく」。大きなネオンの看板。ガラス窓の外から見える明るい客席。大きなテーブルでは、大学生らしい若い男女のグループが派手な笑い声をあげている。さっきの「デニーズ」に比べると、こちらはずいぶんにぎやかだ。真夜中の街の闇の深さも、ここまでは入ってこられない。

「すかいらーく」の洗面所でマリが手を洗っている。今は帽子もかぶっていない。眼鏡もかけていない。天井のスピーカーからはペット・ショップ・ボーイズの古いヒットソングが小音量で流れている。『ジェラシー』。大きなショルダーバッグが洗面台のわきに置いてある。彼女は備え付けの液体石鹸を使って丁寧に手を洗っている。指と指のあいだにこびりついてしまった、粘着性のある何かを洗い落としているようにも見える。ときどき目を上げて、鏡に映った自分の顔を見る。蛇口の水を止め、明かりの下で十本の指を点検し、ペーパータオルでそれをごしごしと拭く。それから鏡に顔を近づける。何かが起こるのを予期しているような目で、鏡に映った自分の顔を見つめている。そこにあるどんな細かい変化も見落とすまいと。でも何も起こらない。彼女は洗面台に両手をついて目を閉じ、いくつか数を数え、それから目を開ける。もう一度、自分の顔を子細に点検する。しかしやはり、そこには何の変化もない。

彼女は手で簡単に前髪を整える。スタジアム・ジャンパーの下に着たパーカのフードを直す。それから自分を励ますように唇を噛み、何度か軽くうなずく。それにあわせて鏡の中の彼女も唇を噛み、何度か軽くうなずく。彼女はショルダーバッグを肩に掛け、洗面所を出ていく。ドアが閉められる。

私たちの視点としてのカメラは、そのあともしばらく洗面所に留まり、部屋の内部を映し続けている。マリはもうそこにはいない。誰もそこにはいない。天井のスピーカーから音楽が流れているだけ。ホール・アンド・オーツの曲に変わっている。『アイ・キャント・ゴー・フォー・ザット』。しかしよく見ると、洗面台の鏡にはまだマリの姿が映っている。鏡の中のマリは、向こう側からこちら側を見ている。真剣な目で、何かが持ち上がるのを待ち受けているみたいに。でもこちら側には誰もいない。彼女のイメージだけが、「すかいらーく」の洗面所の鏡の中に取り残されている。

あたりはほの暗くなっていく。深まっていく暗闇の中に『アイ・キャント・ゴー・フォー・ザット』が流れている。

6

am

ホテル「アルファヴィル」の事務所。カオルが不機嫌そうな顔つきでパソコンの前に座っている。液晶モニターには、入り口の防犯カメラの撮った映像が映っている。クリアな映像だ。画面の隅に時刻表示がある。カオルは紙にメモした数字と、画像に表示されている時刻を見比べながら、パソコンのマウスを使って画面を早送りしたり、停めたりしている。操作は順調に運んでいるとはいえないようだ。ときどき天井を仰いで、ため息をつく。

コムギとコオロギが事務所に入ってくる。

「何してんすか、カオルさん？」とコムギが尋ねる。

「えらいむずかしい顔して」とコオロギが言う。

「防犯カメラのＤＶＤ」とカオルは画面をにらんだまま答える。「だいたいの時刻をチェックすれば、どんなやつがあの子をぶん殴ったかわかるだろう」

「でもあの時間のお客さんの出入りは少なくなかったすよ。誰がやったのか、見分けつくんですかね」とコムギは言う。

カオルは太い指でキーを不器用にぱたぱたと叩く。「ほかの客はみんな、男女一緒にホテルに入ってるんだ。でもその男だけは先に来て、女が来るのを部屋で待っている。男が入り口で４０４号室のキーをピックアップしたのは、10時52分だ。それははっきりわかってる。女がバイクで配達されて来たのは、その10分くらいあとだったと、フロントの佐々木さんが言ってる」

「じゃあ10時52分頃の画像をとり出せばいいんだ」とコムギは言う。

「ところが、そうすんなりとはいかない」とカオルは言う。「あたしはどうも、こういうデイジタルなんとかといった機械モノは苦手でね」

「腕力がきかないっすからね」とコムギは言う。

「そういうこと」

「カオルさん、生まれる時代をちょっと間違えはったんですわ」とコオロギが真剣な顔つきで言う。

「二千年くらい」とコムギ。

「言えてる」とコオロギが同意する。

「そういう風にあっさりと割り切られたくねえよ」とカオルが言う。「だいたい、お前らにだってできねえだろ、こういうの？」

「できましぇーん」と二人は声をそろえて言う。

カオルは画面のサーチの欄に時刻を打ち込み、クリックしてその画面を出そうとするのだが、どうしてもうまくいかない。操作の手順がどこかで間違っているらしい。舌打ちする。マニュアル・ブックを取り上げてぱらぱらと読むが、要領を得ず、あきらめて机の上に放り出す。

「ったくもう、なんでうまく行かねえんだよ。これで出てくるはずなのに、出てこない。こういうの、タカハシがいりゃあ、一発でやってくれるんだけどな」

「でもさ、カオルさん。その男の顔がわかったとしてですね、それでいったいどうすんですか？　警察に届けるわけじゃないでしょう？」とコムギが言う。

「自慢じゃないが、警察関係にはなるったけ近寄らないことにしてる」

「じゃあ、どうすんですか？」

「それについてはあとでおいおい考える」とカオルは言う。「でもな、あたしの性分として、こういう悪質なやつを黙ってそのまま見過ごすわけにはいかねえんだよ、とにかく。弱みにつけこんで女をぶん殴って、身ぐるみはいでもっていっちまって、おまけにホテル代まで踏み倒す。男の屑だ」

「そういうキンタマの腐ったサイコ野郎は、とっ捕まえて半殺しの目にあわせなあきませんね」とコオロギは言う。

カオルは大きくうなずく。「望むところではあるが、いくらなんでも、このホテルにまた顔を見せるようなアホな真似はしねえだろう。少なくとも当分のあいだはな。かといって、こっちも歩いて探しまわるほど暇じゃないしな」

「じゃあ、どうすんですか？」コムギは言う。

「だから、それはあとでまた考えるって言ってんじゃねえか」

カオルが半ばやけっぱちで、どこかのアイコンをほとんど力まかせにダブル・

クリックすると、ややあって、10時48分の画面がモニター画面に現れる。
「やったね」
コムギ「すごいっすね。為せばなるっつうか」
コオロギ「コンピュータもきっと、びびりよったんですわ」

三人は何も言わず、息をのんで画面を見ている。10時50分に若い男女のカップルが入ってくる。学生風。二人とも見るからに緊張している。部屋のパネル写真の前であれこれ迷ってから、302号室のボタンを押してキーを取り、エレベーターに乗り込む。エレベーターの場所がわからなくて、そのへんをうろうろする。

カオル「これが302号室のお客だ」
コムギ「302ね。見かけ純朴そうだけど、激しかったすよ、この人たち。片づけにいったらばしばし乱れてましたから」
コオロギ「ええやないの。若いんやからいっぱい乱れても。そのためにお金払ろて、こういうとこに来てるんやもん」

コムギ「でもねえ、私もこれでまだ若いけどさ、最近はとんとご無沙汰だよ、乱れたりするのに」

コオロギ「そら、意欲が足りんのや、コムギちゃん」

コムギ「意欲っすかねえ？」

カオル「おい、そろそろ４０４の客だよ。下らねえこと言わずによく見てな」

画面の中に男が現れる。時刻は10時52分だ。

男は淡いグレーのトレンチコートを着ている。年齢は30代後半、40に近いかもしれない。ネクタイをしめて革靴を履いており、サラリーマンのようだ。金属縁の小振りな眼鏡をかけている。荷物は持たず、両手をポケットにつっこんでいる。身長も、体型も、髪型もごく普通。通りですれ違ってもほとんど印象に残らないタイプだ。

「なんかやたら普通っぽいやつですね、こいつ」とコムギは言う。

「普通っぽいやつがいちばんおっかないんだよ」とカオルが顎をさすりながら言う。「ストレス抱えてっからな」

男は腕時計に目をやって時刻を確認し、迷わず４０４号室のキーを取る。そして足早にエレベーターに向かう。男の姿がカメラの視野から消える。カオルはそこで画像を一時停止にする。

カオルは二人に質問する。「さて、これ見てて、なんかわかったことあるかい？」

「サラリーマンみたいに見えますね」とコムギは言う。

カオルはあきれたようにコムギを見て、首を振る。「あのな、いちいちお前に言われなくても、この時間にビジネス・スーツ着てネクタイしめてるのは、仕事帰りのサラリーマンに決まってんだ」

「すんません」とコムギは言う。

「あの、こいつ、こういうことにけっこう馴れているみたいですね」とコオロギが意見を述べる。「場慣れしてるゆうか、迷いがぜんぜん見えへんもんな」

カオルは同意する。「そうだよな。すぐにキーを取って、まっすぐエレベーターに向かっている。最短コースっていうか、無駄な動きがない。きょろきょろもしてない」

コムギ「つまり、ここは初めてじゃないと？」

コオロギ「いわゆるお得意さん」

カオル「たぶんな。そして前にも、同じように女を買ってるんだろう」

コムギ「中国人の女専門という線もありますね」

カオル「うん、そういう趣味のやつは多いからな。でもさ、サラリーマンでここに何度か来ているってことは、このへんの会社に勤めてる可能性が高いよな」

コムギ「そうなりますね」

コオロギ「それで、主に深夜勤務で働いていると」

カオルは怪訝《けげん》な顔をしてコオロギを見る。「なんでそう思うの？　一日の勤めが終わって、どっかで一杯飲んで気持ちよくなって、それからむらむらっと女がほしくなったってこともあるだろ？」

コオロギ「そやかて、こいつ手ぶらでしょ。荷物を会社に置いてきとるんですわ。これから家に帰るんやったら、なんか手に持っとるはずです。鞄とか書類袋とか。手ぶらで通勤する会社員ってまずいません。とするとこいつ、これから会社に戻ってもう一回仕事するんやないかな。そう思たわけです」

コムギ「真夜中に会社で仕事をする？」

コオロギ「明け方まで会社に残って仕事してる人、世の中にはわりかしいるんですよ。とくにコンピュータ・ソフト関係とかね、そういうことが多いです。ほかのみんなが仕事を終えて帰ってしもてから、誰もおらへんとこで、一人でぐじぐじとシステムをいじるんですわ。みんなが仕事してるときに、システムを全部停めて作業するわけにはいきませんからね。それで二時、三時まで残業して、タクシーで家に帰るんですわ。そういう人にはタクシー・チケット、会社から出ますから」

コムギ「なるほど。そういえば、こいつって、なんかコンピュータおたくっぽい顔してるかもな。でもコオロギさん、なんでそんなことよく知ってるの？」

コオロギ「私、こう見えて、実は前は会社で働いてたんよ。ちゃんとしたとこで、いちおうＯＬやっとったんです」

コムギ「マジで？」

コオロギ「そら、会社やからね、マジでやりますがな」

コムギ「へえ、それがなんでまた……」

カオルがいらいらした声で口を挟む。「よう、ちょっと待てよ。今はこっちの話をしてんだよ。そういうこみいった身の上話はどっかべつのとこでやってくれよな」

コムギ「すいません」

カオルは画像をもう一度10時52分に戻し、今度はコマ送り再生する。そして適当なところを選んで静止画面にし、男の姿が映っている部分を段階的に拡大していく。そしてプリントアウトする。男の顔がかなり大きくカラー印刷されている。

コムギ「すげえ」

コオロギ「こんなことほんまにできるんですね。まるで『ブレードランナー』みたいやないですか」

コムギ「便利っつうか、考えてみたらおっかない世界っすね。これじゃおちおちラブホにも入れないよ」

カオル「だからさ、お前らもあんまり外で悪いことはしねえ方がいいよ。昨今、どこにカメラがあるかわかんねえからさ」

コムギ「天知る、地知る、ディジタル・カメラ知る」

コオロギ「ほんまに。気いつけなあかんわ」
カオルは五枚ばかり同じ画像のプリントアウトを出す。三人はその顔をそれぞれにじっくりと眺める。
カオル「拡大してっから画像は粗っぽいけど、それでもおおよその顔つきはわかるだろ?」
コムギ「うん、今度道で会ったら、こいつだってちゃんとわかりますよ」
カオルは首をごりごりと音を立てて回しながら、無言で考えを巡らせている。
やがて何かに思い当たる。
「お前らさ、あたしがさっき出て行ったあと、この事務所の電話使ったか?」とカオルは二人に尋ねる。
二人は首を振る。
コムギ「使ってませんよ」
コオロギ「私も」
カオル「てことは、あの中国人の女の子がこの電話を使ってから、誰も番号押してないよな?」

コムギ「触ってもいません」

コオロギ「指一本」

カオルは受話器を手に取り、一呼吸置いてから、リダイアルのボタンを押す。呼び出しのベルが二回鳴り、男が電話に出る。早口の中国語で何かを言う。

カオルは言う。「あのね、ホテル『アルファヴィル』ってとこのもんだけどさ、今晩11時頃におたくの女の子が客に呼ばれてうちに来て、それでぼこぼこにされただろ？　で、その相手の客の写真が手元にあるんだよ。防犯カメラで撮ったやつ。あんたらひょっとして、それ欲しいんじゃないかな？」

電話の相手は数秒沈黙する。それから日本語で言う。「ちょっと待て」

「待ちますよ」とカオルは言う。「いくらでも」

電話口の向こうで何かが話し合われているらしい。カオルは受話器を耳にあてたまま、ボールペンを指にはさんでくるくるまわしている。コムギはそのあいだ、ほうきの柄をマイクに見立てて、思い入れたっぷりに歌を歌う。「雪は降るう……あなたは来なあい……待ちますよお……いくらでもお……」

再び男が電話に出る。「写真、今そこにあるのか？」

「できたてのほやほや」とカオルは言う。

「どうしてこの番号がわかった？」

「最近の機械モノはね、いろいろと便利にできてるんだよ」とカオルは言う。

男は数秒間沈黙する。「十分でそっちに行く」

「玄関に出て待ってるよ」

電話が切れる。カオルは顔をしかめて受話器を置く。またごりごりと太い首をまわす。部屋の中に沈黙が下りる。コムギが遠慮がちに口を開く。

「あの、カオルさん」

「なんだよ？」

「あいつらにその顔写真、マジで渡すんですか？」

「だからさ、罪のない女の子をぼこぼこにするようなやつは許せねえって、さっき言っただろうが。ホテル代を踏み倒したのも頭にくるし、このところてんみてえなサラリーマン面も気にくわねえ」

コムギ「でもね、あいつらがもしこの男をみつけたら、重石つけてどぶんと東京湾に沈めたりするんじゃないすかね？　そういうのに下手にかかわり合いになるとやばいっすよ」
カオルはしかめ面をしたままだ。「まあ、殺しまではしねえだろう。中国人同士でいくら殺しあっても、警察はとくに気にしないが、かたぎの日本人が殺されたとなると話は違ってくる。あとが面倒だ。とっ捕まえて、因果ふくめて、せいぜい耳のひとつでも切り取るくらいじゃねえかな」
コムギ「うっ、痛そう」
コオロギ「なんかゴッホさんみたいやね」
コムギ「しかしねえ、カオルさん、こんな写真だけで、男一人見つけ出せると思います？　なにせ大きな街だし」
カオル「でもあいつら、いったんやると決めたらとことんやるぜ。こういうことになると、性格しつこいからな。そのへんの素人にコケにされたままじゃ、使ってる女たちへのしめしもつかないし、仲間うちでの面子《メンツ》も立たない。面子が立たねえと、やっていけない世界だ」
カオルは机の上の煙草をとって口にくわえ、マッチで火をつける。唇をすぼめ、モニター画面に向かって長々と煙を吹きつける。

静止画面上の拡大された男の顔。

十分後。カオルとコムギがホテルの入り口近くで待っている。カオルは前と同じ革のジャンパーを着て、毛糸の帽子を深くかぶっている。コムギは厚い大きなセーターを着ている。いかにも寒そうに、胸のところでしっかり腕を組んでいる。ほどなく、さっき女を迎えに来たのと同じ、大型バイクに乗った男がやってくる。彼は二人から少し離れたところにバイクを止める。やはりエンジンは切らない。ヘルメットを脱ぎ、燃料タンクの上に置き、慎重に右手の手袋を取る。手袋を上着のポケットに入れ、そのままの姿勢を保つ。自分の方から動こうとはしない。カオルが男のところまで大股に歩いて行って、プリントアウトした顔写真を三枚渡す。そして言う。

「この近辺の会社で働いているサラリーマンらしい。夜中に仕事をすることが多くて、前にもここに女を呼んだことがあるみたいだ。おたくの常連かもな」

男は顔写真を受け取り、数秒間眺める。格別その写真に興味を抱いたようには見えない。

「それで？」と男はカオルを見て言う。

「それでって？」

「なんでわざわざ写真くれる？」

「ひょっとして欲しいんじゃないかと思ったんだ。欲しくないの？」

男はそれには返事をせず、ジャンパーのジッパーを下ろし、首から吊していた書類入れのようなものに、二つ折りにしたその顔写真を入れる。そしてジッパーを首のところまで上げる。そのあいだ彼はカオルの顔にずっと視線を向けている。一時も目をそらさない。

カオルが情報提供の見返りに何を求めているのか、男はそれを知ろうとしている。しかし自分のほうから質問はしない。姿勢を崩さず、口を閉ざし、答えがやってくるのを待っている。カオルも腕組みしたまま、冷ややかな目で男の顔を見ている。彼女の方もあとに引かない。息苦しいにらみ合いが続く。やがて頃合いを見計らってカオルが咳払いし、沈黙を破る。

「あのさ、もしあんたたちがそいつをみつけ出したら、ひとことうちに教えてくれるかな？」

男は左手でハンドルを握り、右手をヘルメットの上に軽く置いている。

「もしこの男をみつけ出したら、あんたにひとこと知らせる？」と男は機械的に復唱する。

「そういうこと」

「ただ知らせればいいのか？」

カオルはうなずく。「耳元でちらっと囁いてもらえればいい。あとのことはとくに知りたくない」

男はひとしきり何かを考えている。それから、こぶしでヘルメットのてっぺんを軽く二度叩く。

「みつけたら教える」

「待ってるよ」とカオルは言う。「今でも耳は切るのかい？」

男は唇を微かにゆがめる。「命はひとつしかない。耳は二つある」

「そうかもしれないけどさ、ひとつなくなると眼鏡がかけられなくなる」

「不便だ」と男は言う。

会話はそこで終わる。男はヘルメットを頭からかぶる。それからペダルを一度大きくキックし、ターンして走り去る。

カオルとコムギは路上に立って、長いあいだ何も言わず、バイクの消えていった方向を眺めている。

「なんか、お化けみたいなやつですね」とコムギがやっと口を開く。

「お化けのでる時間だからな」とカオルは言う。

「おっかないですね」

「おっかないさ」

二人はホテルの中に戻る。

事務所にはカオルが一人でいる。机に両足を載せている。彼女は顔写真のプリントアウトをもう一度手にとって眺める。男の顔のアップ。カオルは低い声でうなり、天井を仰ぐ。

7

男が一人、コンピュータの画面に向かって仕事をしている。ホテル「アルファヴィル」の防犯カメラに映っていた男だ。淡いグレーのトレンチコートを着て、404号室の鍵をとっていた男。彼はブラインド・タッチでキーボードを叩いている。そのスピードはおそろしく速い。それでも十本の指は、思考の速度に追いついていくのがやっとだ。唇は堅く結ばれている。終始無表情。ものごとがうまく運んで顔がほころぶこともないし、うまくいかずにがっかりすることもない。ワイシャツの袖は肘のあたりまでまくりあげられ、首のボタンははずされ、ネク

タイはゆるめられている。必要に応じてかたわらのメモ用紙に、鉛筆で数字や記号を控える。消しゴムのついた長い銀色の鉛筆だ。veritechという会社のネームが入っている。同じ銀色の鉛筆が6本、ペン皿にきれいに並んでいる。長さもみんなほぼ同じだ。先端はこれ以上尖れないくらい鋭く尖っている。

広い部屋だ。同僚たちがみんな帰ってしまったあとのオフィスに、彼は一人で残って仕事をしている。机の上に置かれた小型CDプレーヤーから適度な音量でバッハのピアノ音楽が流れている。イヴォ・ポゴレリチの演奏する『イギリス組曲』。部屋全体は暗く、彼の机のある部分だけを、螢光灯の光が天井から照らしている。「孤独」という題でエドワード・ホッパーが絵に描きそうな光景だ。しかし彼自身はそのような状況をとくに寂しく感じているわけではない。まわりに人がいない方が、むしろありがたいのだ。意識の集中を乱されることなく、好きな音楽を聴きながら作業を進められる。決して仕事が嫌いではない。仕事に集中していれば、少なくともそのあいだは現実的な雑事に頭を振り向けなくて済むし、手間と時間さえ惜しまなければ、トラブルはあくまで論理的に、解析的に処理できる。彼は半ば無意識のレベルで音楽の流れをたどりながら、コンピュータの画面をにらみ、指先をポゴレリチに負けないほどのフルスピードで動かしている。無駄な動きはない。そこには18世紀の精緻な音楽と、彼と、彼に与えられたテクニカルな問題が存在するだけだ。

ただ右手の甲の痛みがときどき気になるらしく、区切りをつけて仕事を中断し、右手を何度も開閉し、手首を回す。左手で右手の甲をマッサージする。大きく息をついて、腕時計に目をやる。ほんのわずか顔をしかめる。右手の痛みのおかげで、いつもに比べて仕事の処理がいくぶん滞りがちだ。

服装は清潔で、こざっぱりしている。個性的でもないし、洗練された着こなしというのでもないが、身につけるものにはそれなりに神経をつかっている。趣味も悪くない。シャツもネクタイも高価なものに見える。おそらくブランド品だろう。顔立ちには知的な印象があり、育ちも悪くなさそうだ。左手の手首にはめられた時計は上品な薄型。眼鏡はアルマーニ風だ。手は大きく、指は長い。爪はきれいに手入れされ、薬指には細い結婚指輪がはめられている。これといって特徴のない顔立ちだが、表情の細部には意志の強さがうかがえる。おそらくは40歳前後、少なくとも顔のまわりには、肉のたるみはまったくない。彼の外見には、よく整頓された部屋のような印象がある。ラブホテルで中国人の娼婦を買う男には見えない。ましてやその相手を理不尽に殴打し、衣服をはぎ取って持っていくようなタイプには見えない。でも現実に彼はそうしたし、そうしないわけにはいかなかったのだ。

電話のベルが鳴るが、彼は受話器を取らない。表情ひとつ変えず、同じスピードで仕事を続ける。そのままベルを鳴らしておく。視線も揺らがない。ベルは四回鳴ってから留守番メッセージに切り替わる。

「こちらは白川のデスクですが、ただいま電話に出ることができません。ご用の方は信号音のあとにメッセージを残して下さい」

信号音。

「もしもし」と女の声が言う。低いくぐもった声、いくらか眠そうだ。「私だけど、もしそこにいたら出てくれる？」

白川はコンピュータの画面を睨んだまま、手元のリモコンを使って音楽を一時停止にし、それから電話回線をつなぐ。電話機は、受話器を取らずに会話できるように設定されている。

「ここにいるよ」と白川は言う。

「さっきそこに電話したらいなかったから、ひょっとして今夜は早く帰れるのかなと思ったんだけど」と女が言う。

「さっきって、何時くらい？」

「11時過ぎかな。メッセージを残したんだけど」

白川は電話機に目をやる。たしかにメッセージ・ランプが赤く点滅している。

「悪い。気がつかなかった。仕事に集中していたから」と白川は言う。「11時過ぎね。そのときは夜食をとりに外に出てたんだ。それからスターバックスに寄って、マキアートを飲んだ。君はずっと起きてたの？」

白川は話をしながらも、両手を使ってキーボードを叩き続けている。

「いちおう11時半に寝たんだけど、いやな夢を見て、ついさっき目が覚めちゃって、あなたがまだ帰ってなかったから。……それで今日は何だったの？」

白川は質問の趣旨がわからない。キーボードを叩くのをやめ、電話機に目をやる。目尻のしわが一瞬深くなる。「何だった？」

「夜食に何を食べたのかってこと」

「ああ、中華料理。いつも同じだよ。腹持ちがいいからさ」

「おいしかった？」

「いや……、そうでもなかった」

彼は視線をコンピュータの画面に戻し、またキーボードを叩き始める。

「それで、仕事は？」

「事態はけっこう込み入っている。ひどいラフにボールを打ち込んだやつがいる。夜明けまでに誰かが修復しておかないと、午前中のネット会議ができない」

「で、その誰かっていうのがまたあなたなわけね？」

「そのとおり」と白川は言う。「後ろを振り向いても誰もいないからね」

「朝までには直りそう？」

「もちろん。トップ・プロだから、ひどい一日でもなんとかスコアをパーにまとめる。それに明日の朝のネット会議ができないと、マイクロソフトを買収する話も流れちゃうかもしれないし……」

「マイクロソフトを買収する？」

「冗談だよ」と白川は言う。「でもあと一時間はかかりそうだな。それからタクシーを呼んで、うちに着くのが4時半ってところかな」

「そのころにはもう寝てると思う。6時過ぎには起きて、子供たちのお弁当を作らなくちゃならないから」

「君が起きるころには、僕のほうはたぶん熟睡している」

「あなたが起きるころには、私は会社で昼ご飯を食べている」

「君が帰宅するころに、僕は本格的に仕事を始める」

「というわけで、またまたすれ違い」

「来週になったら、もう少しまともな時間帯に戻れるはずだ。人も戻ってくるし、新しいシステムも安定してくるはずだし」

「ほんとに?」

「たぶん」と白川は言う。

「私の思い違いじゃなければ、一ヵ月前にもまったく同じ発言を耳にした記憶があるんだけど」

「実はペーストしてクリックしたんだ」

妻はため息をつく。「うまく行くといいけどね。たまには一緒にご飯を食べて、同じ時間に眠りたいから」

「うん」

「あんまり無理しないようにね」

「大丈夫、いつものように最後のパットを美しく沈め、背中に拍手を浴びて、それから家に帰る」

「じゃあね」

「あ、ちょっと待って」

「うん？」

「トップ・プロにこんなことを頼むのは心苦しいんだけど、帰りにコンビニに寄って牛乳を買ってきてくれない？　もしあったらでいいけど、タカナシのローファット」

「いいよ。お安いご用だ。タカナシのローファットを一本」

白川は電話機のスイッチを切る。腕時計に目をやって、時刻を確認する。テーブルの上のマグカップを手に取り、冷めてしまったコーヒーの残りを一口飲む。

マグカップには「intel inside」というロゴが入っている。ＣＤプレーヤーのスイッチを押して音楽をかけ、バッハの音楽にあわせて、右手のこぶしを開いたり閉じたりする。深呼吸をして、肺の中の空気を入れ替える。そして頭のコネクションを切り換え、中断していた仕事の続きにとりかかる。ポイントＡからポイントＢまで、どのようにすれば整合的に最短距離をとることができるか、再びそれが最重要事項になる。

コンビニの店内。タカナシのローファット牛乳のパックが冷蔵ケースの中に置かれている。高橋が『ファイブスポット・アフターダーク』のテーマを口笛で軽く吹きながら、牛乳を物色している。荷物は持っていない。手を伸ばしてタカナシのローファット牛乳を取るが、ローファットであることに気づいて顔をしかめる。彼にとってそれはモラリティーの根幹に関わりかねない問題なのだ。ただ単に牛乳の脂肪分が多いか少ないかというだけのことではない。ローファット牛乳をもとあった場所に戻し、隣にあった通常の牛乳のパックを取る。賞味期限をたしかめ、かごに入れる。

次に果物のケースに移り、りんごを手に取る。照明の下でそのりんごをいろんな角度から点検する。もうひとつ気に入らない。もとに戻し、べつのりんごを手にとって、また同じように精査する。それを何度か繰り返し、まずまず許容できるものを——決して納得したわけではないが——ひとつ選ぶ。どうやら牛乳とりんごは、彼にとって特別な意味を持つ食物であるらしい。レジに向かうが、通りがかりにビニールパックに入ったはんぺんを目にとめ、ひとつ手に取る。袋の隅に印刷された賞味期限を調べてから、かごに入れる。レジで代金を支払い、釣りの小銭をズボンのポケットに無造作につっこみ、店を出る。

近くのガードレールに腰掛け、シャツの裾でりんごを丁寧に磨く。気温が下がったらしく、吐く息がほのかに白くなる。牛乳をほとんど一息でごくごくと飲み干し、そのあとでりんごをかじる。何か考え事をしながら一口ひとくち丁寧に咀嚼するので、食べ終えるまでに時間がかかる。食べ終えると、くしゃくしゃになったハンカチで口元を拭い、牛乳のパックとりんごの芯をビニール袋にいれ、コンビニの前に置かれたごみ箱まで持っていって捨てる。はんぺんをコートのポケットに入れる。オレンジ色のスウォッチで時刻をたしかめてから、両腕をまっすぐ上げて大きな伸びをする。

それからどこかに向かって歩き始める。

8

am

私たちの視点は浅井エリの部屋に戻っている。見わたしたところ、室内の様子はさっきと変わりない。時間が経過したぶん、夜が深まっているだけだ。沈黙が一段階重くなっているだけだ。

——いや、違う。そうではない。何かが変化している。この部屋の中で、前とは何かが大きく異なっている。

その違いはすぐにわかる。ベッドが無人なのだ。ベッドの中に浅井エリの姿はない。布団が乱れていないところをみると、私たちがいないあいだに彼女が目を覚まし、起き上がってどこかに行ってしまったというのでもなさそうだ。ベッドはぴたりとメイクされたままの状態である。ついさっきまでそこにエリが眠っていたという形跡はみじんもない。奇妙だ。いったい何が起こったのだろう?

あたりを見まわす。

テレビのスイッチは入ったままだ。さっきと同じ部屋の風景が映し出されている。家具のない広い空き部屋。無個性な螢光灯と、リノリウムの床。しかし今では画面は見違えるほど安定している。雑音も聞こえず、画像の輪郭は鮮やかで、滲みもない。回線はどこかに——それがどこであれ——揺らぎのない状態で繋がっている。満月の光が無人の草原に注ぐように、テレビの明るい画面が部屋の中を照らしている。部屋にある事物はひとつ残らず、多かれ少なかれ、テレビの発する磁力の影響下に置かれている。

テレビの画面。顔のない男が、さっきと同じ椅子に腰掛けている。茶色のスーツ、黒の革靴、白いほこり、顔に密着した艶のある仮面。姿勢も前に見たときから変わっていない。背筋を伸ばし、両手を膝の上に揃え、うつむき加減で前方の何かに見入っている。彼の一対の目は仮面の奥に隠されている。しかし彼が何かを凝視していることは、気配でわかる。いったい何を、それほど熱心に見つめているのだろう？　私たちの思いにこたえるように、テレビ・カメラは男の視線をたどって移動していく。その視線の先には、ベッドがひとつ置かれている。簡素な木製のシングル・ベッド――そこに浅井エリが眠っている。

私たちはこちらの部屋に置かれている無人のベッドと、テレビの画面に映っているベッドとを見比べてみる。細部をひとつひとつ比較してみる。どう見てもそのふたつは同一のベッドだ。ベッドカバーも同じベッドカバーだ。しかしひとつのベッドはテレビの画面の中にあり、もうひとつはこちらの部屋にある。そしてテレビの中にある方のベッドに、浅井エリが眠っている。

たぶんあちらが本物のベッドなのだろうと、私たちは推測する。本物のベッドは、しばらく目を離しているあいだに（私たちがこの部屋を離れてから、二時間以上が経過している）、エリごとあちら側に運びさられてしまったのだ。こちらには身代わりのベッドが残されているだけだ。おそらくは、そこにあるはずの虚無のスペースを埋めるためのしるしとして。

異なった世界のベッドの上で、エリはこの部屋にいたときと同様、昏々と眠り続けている。まったく同じように美しく、同じように濃密に。自分が（あるいは自分の肉体が、というべきなのだろうか）何ものかの手でテレビ画面の中に運び込まれてしまったことに、彼女は気づいていない。天井に並んだまぶしい螢光灯の光も、その眠りの海溝の底にまでは差し込まない。

顔のない男は、かたちを隠された目で、帳の奥からエリを見守っている。かたちを隠された耳を、注意怠りなく彼女に向けている。エリも、顔のない男も、ひとつの姿勢をひたすら維持している。擬態をする動物のように、二人はそれぞれに呼吸を減らし、体温を下げ、沈黙をまもり、筋肉をなだめ、意識の出口を塗りつぶしている。私たちが目にしているのは、一見して静止画面のように見えるが、実際はそうではない。それはリアルタイムでこちらに送られてくる生きた画像である。こちら側の部屋でも、あちら側の部屋でも、時間は同じように均一に経過している。両者は同じ時間性の中にいる。折に触れて顔のない男の肩が緩慢に上下することで、それがわかる。それぞれの意図がどこにあれ、私たちは共に等しい速度で、時の下流に向けて運ばれている。

9

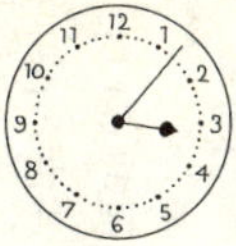

am

「すかいらーく」の店内。客の姿はさっきよりまばらになっている。騒いでいた学生たちのグループはもういなくなった。マリは窓際の席に座って、やはり本を読んでいる。眼鏡はかけていない。帽子はテーブルの上にある。バッグとスタジアム・ジャンパーは隣のシートの上に置かれている。テーブルにはサンドイッチの皿とハーブティーのカップ。サンドイッチは半分残されている。

高橋が店に入ってくる。荷物は持っていない。彼は店内を見まわし、マリの姿をみつけ、まっすぐに彼女のところにやってくる。

「やあ」と高橋は声をかける。

マリは顔を上げ、高橋の姿を認め、軽くうなずく。何も言わない。

「邪魔じゃなければ、ここにちょっと座らせてもらっていいかな？」

「どうぞ」とマリは中立的な声で言う。

高橋は彼女の向かいに座る。コートを脱ぎ、セーターの袖をひっぱり上げる。ウェイトレスがやってきて、注文をとる。彼はコーヒーを注文する。

高橋は腕時計に目をやる。「午前3時。今がいちばん暗くて厳しいところだ。どう、眠くない？」

「とくに」とマリは言う。

「こっちは昨夜《ゆうべ》あまり寝てないんだ。きついレポートを書かなくちゃならなくてさ」

マリは何も言わない。

「君がここにいるだろうって、カオルさんに聞いたんだ」

マリはうなずく。

高橋は言う。「さっきは悪かった。その、中国人の女の子のこと。練習していたらカオルさんからケイタイにかかってきて、誰か中国語のわかるのいないかって訊かれたんだけど、そんなもの誰もできないしさ、そこではっと君のことを思いだしたんだ。で、デニーズに行ったらこういう見かけの浅井マリっていう女の子がいて、その子は中国語がぺらぺらですって教えちゃったんだ。迷惑じゃなきゃよかったんだけど」

マリは指先で眼鏡のあとをこする。「べつにいいよ、それは」

「ずいぶん助かったってカオルさんは言ってたよ。感謝してた。それから君のことがけっこう気に入ったみたいだよ」

マリは話題を変える。「練習はもうおしまい?」

「休憩」と高橋は言う。「熱いコーヒーを飲んで目を覚ましたかったし、とにかく君にひとことお礼を言っておこうと思ってさ。邪魔したんじゃないかって、気になってたんだ」

「何の邪魔をするわけ?」

「わからないよ」と彼は言う。「とにかく、なんでもいいけど、何かの邪魔をしたんじゃないかと……」

「音楽を演奏するのは楽しい？」とマリは質問する。

「うん。音楽を演奏するのは、空を飛ぶことの次に楽しい」

「空を飛んだことはあるの？」

高橋は微笑む。微笑みを浮かべたまま、時間を置く。「いや、空を飛んだことはない」と彼は言う。「たとえだよ。あくまで」

「プロのミュージシャンになるつもりなの？」

彼は首を振る。「僕にはそれほどの才能はない。音楽をやるのはすごく楽しいけどさ、それで飯は食えないよ。何かをうまくやることと、何かを本当にクリエイトすることのあいだには、大きな違いがあるんだ。僕はけっこううまく楽器を吹くことができると思う。褒めてくれる人もいるし、褒められるともちろん嬉しい。でもそれだけだ。だから今月いっぱいでバンドをやめて、音楽からは足を洗おうと思ってるんだ」

「何かを本当にクリエイトするって、具体的にいうとどういうことなの？」

「そうだな……音楽を深く心に届かせることによって、こちらの身体も物理的にいくらかすっと移動し、それと同時に、聴いてる方の身体も物理的にいくらかすっと移動する。そういう共有的な状態を生み出すことだ。たぶん」

「むずかしそうね」

「とてもむずかしい」と高橋は言う。「だから僕は降りる。次の駅で電車を乗り換える」

「もう楽器には手も触れない？」

彼はテーブルに置いた両方の手のひらを上に向ける。「そうなるかもしれない」

「就職するの？」

高橋はまた首を振る。「いや、就職はしない」

「何をするの？」とマリは少し間を置いて尋ねる。

「真面目に法律の勉強をしようと思うんだ。これから司法試験を目指す」

マリは黙っている。しかし好奇心をいくらかそそられたようだ。

「まあ時間はかかるだろうな」と彼は言う。「いちおう法学部に在籍していたけど、これまではバンド一筋で、ありきたりの勉強しかしてこなかったからさ。今から心を入れ替えてしみじみと勉学に励んでも、簡単には追いつけないだろう。

世の中そんなに甘くないものね」

ウェイトレスがコーヒーをもってくる。高橋はそれにクリームを入れ、音を立ててスプーンでかきまわし、飲む。

高橋は言う。「実を言うとさ、何かを真剣に勉強したいっていう気持ちになったのは、生まれて初めてなんだ。学校の成績は昔から悪くはないんだ。とりたてて良いわけじゃないけど、悪くはない。いつも大事なところでは要領よくポイントを押さえていたから、そこそこの点は取れた。そういうのが得意なんだ。だからまずまずの学校に入れたし、このまま行けばまずまずの会社に就職できるだろうと思う。それでまずまずの結婚をして、まずまずの家庭を持って……ね？　でもさ、そういうのが嫌になってきたんだ。急に」

「どうして？」とマリは尋ねる。

「どうして僕が急に真剣に勉強したいと考えるようになったか、ということ？」

「そう」

高橋はコーヒーカップを両手で持ったまま、目を細めて彼女の顔を見る。窓の隙間から部屋の中をのぞき込むように。「それはつまり、本当に答えを聞きたくて質問しているわけ？」

「もちろん。だって答えを聞きたいから質問するんでしょう、普通」

「理屈としてはね。でもさ、中にはただ儀礼的に質問する人もいる」

「よくわからないんだけど、私がどうしてあなたに、儀礼的に質問をしなくちゃならないわけ？」

「それはまあそうだ」。高橋は少し考えてから、コーヒーカップをソーサーに戻す。かたんという乾いた音がする。「説明として、いちおう長いバージョンと短いバージョンがあるんだけど、どっちがいい？」

「中間」

「わかった。ミディアム・サイズの答え」

高橋は頭の中で、言いたいことをざっとまとめる。

「今年の4月から6月にかけて、何度か裁判所に通った。霞が関の東京地方裁判所。そこで裁判をいくつか傍聴し、それについてレポートを書くというゼミの課題があったんだ。えーと、君は裁判所に行ったことある？」

マリは首を振る。

高橋は言う。「裁判所はシネマ・コンプレックスに似ている。その日に行われる審理と開始時刻が、番組表みたく入り口のボードにリストアップされていて、その中から興味の持てそうなものを選んで、そこに行って傍聴するんだ。誰でも自由に入れる。ただしカメラと録音機は持ち込めない。食べ物もだめ。おしゃべりも禁止されている。シートも狭いし、居眠りをすると廷吏に注意されることもある。でもなにしろ入場無料だからさ、文句は言えない」

高橋は間を置く。

「僕は主に刑事事件の裁判を傍聴した。暴行傷害とか、放火とか、強盗殺人とか。悪いやつがいて、悪いことをして、とっつかまって裁判にかけられる。お仕置きを受ける。そういう方がわかりやすいじゃないか。経済犯とか、思想犯みたいなやつだと、事件背景が込み入ってくる。善と悪との見分けがつきにくくなってくるし、そうなると面倒だ。僕としてはさっさとペーパーを書いて、まずまずの単位をもらって、それでおしまいというつもりだった。小学生の夏休みにやった朝顔の観察日記と同じだよ」

高橋はそこで言葉を切る。テーブルの上に置いた自分の手のひらを眺める。

きもあるし、法律というかたちをとるときもある。もっとややこしい、やっかいなかたちをとることもある。切っても切っても、あとから足が生えてくる。そいつを殺すことは誰にもできない。あまりにも強いし、あまりにも深いところに住んでいるから。心臓がどこにあるかだってわからない。僕がそのときに感じたのは、深い恐怖だ。それから、どれだけ遠くまで逃げても、そいつから逃れることはできないんだという絶望感みたいなもの。そいつはね、僕が僕であり、君が君であるなんてことはこれっぽっちも考えてくれない。そいつの前では、あらゆる人間が名前を失い、顔をなくしてしまうんだ。僕らはみんなただの記号になってしまう。ただの番号になってしまう」

マリは彼の顔をじっと見ている。

高橋はコーヒーをひとくち飲む。「こういう話って、地味すぎない？」

「ちゃんと聞いてるよ」とマリは言う。

高橋はコーヒーカップをソーサーに戻す。「二年前のことだけど、立川で放火殺人事件があった。男が老夫婦を鉈《なた》で殺して、預金通帳と印鑑を奪い、証拠を隠《いん》滅《めっ》するために家に火をつけたんだ。風が強い夜で、近所の家が四軒焼けた。こいつは死刑判決を受けた。今の日本の裁判事例でいえば、当然の判決だ。強殺で二人以上殺したら、ほとんどの場合死刑になるんだ。絞首刑。おまけに放火までしている。だいたいこの男はとんでもないやつだった。暴力的な傾向があって、前にも何度か刑務所に入っている。家族にもとっくに見放され、薬物中毒で、釈放されて出てくるたびに犯罪を犯している。改悛《かいしゅん》の情というようなものも、露ほども見られない。控訴したって、100パーセント棄却される。弁護士も国選で、最初からあきらめている。だから死刑判決がおりても誰も驚かない。僕だって驚かなかった。裁判長が判決主文を読み上げるのを聞いて、メモを取りながら、まあ当然だろうなと思っていた。で、裁判が終わって、霞ヶ関の駅から地下鉄に乗ってうちに帰ってきて、机の前に座って裁判のメモを整理し始めたんだけど、そのときに僕は突然、どうしようもない気持ちになった。なんていえばいいんだろう、世界中の電圧がすっと下降してしまったみたいな感じだった。すべてが一段階暗くなり、一段階冷たくなった。身体が細かく震え始めて、とまらなくなった。そのうちにうっすらと涙まで出てきた。どうしてだろう。説明できない。その男が死刑判決を受けて、どうして僕がそんなにうろたえなくちゃならないんだ？　だってさ、そいつは救いがたくろくでもないやつだったんだ。その男と僕とのあいだには、何の共通点もつながりもないはずだ。なのに、なぜこんなに深く感情を乱されるんだろう？」

その疑問は疑問のかたちのまま、三十秒ばかりそこに放置される。マリは話の続きを待っている。

高橋は続ける。「僕が言いたいのは、たぶんこういうことだ。一人の人間が、たとえどのような人間であれ、巨大なタコのような動物にからめとられ、暗闇の中に吸い込まれていく。どんな理屈をつけたところで、それはやりきれない光景なんだ」

彼はテーブルの上の空間を見つめ、大きく息をつく。

「とにかくその日を境にして、こう考えるようになった。ひとつ法律をまじめに勉強してみようって。そこには何か、僕の探し求めるべきものがあるのかもしれない。法律を勉強するのは、音楽をやるほど楽しくないかもしれないけど、しょうがない、それが人生だ。それが大人になるということだ」

沈黙。

「それがミディアム・サイズの説明?」とマリは尋ねる。

高橋はうなずく。「ちょっと長かったかもしれない。誰かにこの話をしたのは初めてだから、サイズがつかみづらかった。……あのさ、その残ってるサンドイッチだけど、もし食べないんならひとつもらっていいかな」

「残ってるのはツナだけど」

「いいよ。ツナは好物だ。君は好きじゃないの?」

「好きよ。でもツナを食べると、体に水銀がたまりやすいの」

「へえ」

「水銀が体内に蓄積されると、40歳を過ぎてから心臓発作を起こしやすくなるの。髪も抜けやすくなる」

高橋はむずかしい顔をする。「つまり、チキンもだめ、ツナもだめ?」

マリはうなずく。

「どっちもたまたま僕の好物なんだけどね」と彼は言う。

「気の毒だけど」とマリは言う。

「そのほかにはポテトサラダなんかも好物なんだけど、ポテトサラダにも何か重大な問題があるのかな？」

「ポテトサラダにはとくに問題はないと思う」とマリは言う。「食べ過ぎると太るってことを別にすれば」

「太るのはべつにかまわないよ。もともと痩せすぎてるんだ」

高橋はツナ・サンドイッチをひとつとって、おいしそうに食べる。

「それで、司法試験に受かるまで、ずっと学生をやっているつもり？」とマリは質問する。

「そうだね。簡単なアルバイトとかしながら、当分は貧乏暮らしだろうな」

マリは何かを考えている。

「『ある愛の詩』って見たことある？　昔の映画」と高橋は尋ねる。

マリは首を振る。

高橋は言う。「このあいだテレビでやってた。なかなか面白い映画だよ。ライアン・オニールは資産家の旧家の一人息子なんだけど、大学生の身でイタリア系の貧乏な家の娘と結婚して、それでばっさりと勘当されちゃうんだ。学費も打ち切られる。でも二人で貧乏暮らしをしながらこつこつ勉強し、ハーヴァード・ロースクールを優秀な成績で出て弁護士になる」

高橋はそこで一息つく。そして続ける。

「貧乏もさ、ライアン・オニールがやってるとそれなりに優雅なんだ。白い厚編みのセーターを着て、アリ・マッグロウと雪投げなんかして、バックにフランシス・レイの感傷的な音楽が流れてさ。でも僕がそういうのをやっても、あまりサマにはならないような気がする。僕の場合、貧乏はあくまでただの貧乏だ。雪だってそんなにうまくは積もってくれないだろう」

マリはまだ何かを考えている。

「それでさ、ライアン・オニールが苦労の末に弁護士になって、どんな仕事をしているかっていうと、そういうことは観客には情報としてほとんど知らされないんだ。僕らにわかるのは、彼が一流の法律事務所に就職して、人もうらやむ高給取りになったっていうことくらいだ。マンハッタンの一等地でドアマンつきの高層アパートメントに住んで、ワスプのためのスポーツクラブに入って、暇があればヤッピー仲間とこんこんスカッシュをするんだよ。それだけ」

高橋はグラスの水を飲む。

「で、そのあとはどうなるの？」とマリが尋ねる。

高橋は少し上を見あげて筋を思い出す。「ハッピーエンド。二人で末永く幸福に健康に暮らすんだ。愛の勝利。昔は大変だったけど、今はサイコー、みたいな感じで。ぴかぴかのジャガーに乗って、スカッシュして、冬にはときどき雪投げして。一方、勘当した父親の方は糖尿病と肝硬変とメニエール病に苦しみながら、孤独のうちに死んじゃうんだ」

「よくわからないんだけど、その話のいったいどこが面白いの？」

高橋は少し首をかしげる。「さあ、どこが面白かったんだろう。よく思い出せないな。用事があって、最後の方はよく見なかったんだ。……ねえ、気分転換に散歩しないか？　少し歩いたところに、猫の集まる小さな公園があるんだ。水銀入りのツナサンドを持っていってわけてやろう。はんぺんもある。猫は好き？」

マリは小さくうなずく。本をバッグにしまって、立ち上がる。

二人は通りを歩いている。今は話をしていない。高橋は歩きながら口笛を吹いている。そのとなりを真っ黒なホンダのバイクがスピードを落として通り過ぎる。「アルファヴィル」に女を迎えに来た中国人の男が運転するバイクだ。髪をポニーテールにした男。今はフルフェイスのヘルメットを脱いで、まわりに注意深く視線を向けている。しかしその男と二人とのあいだには接点はない。深いエンジン音が二人に近づき、そのまま追い越していく。

マリは高橋に話しかける。「あなたとカオルさんはどういう知り合いなの？」

「あのホテルで半年近くアルバイトしていたんだ。『アルファヴィル』で。床掃除とか、そのほかあらゆる底辺労働をやった。あとはコンピュータ関係のこと。ソフトの入れ替えとか、トラブルの処理とか。防犯カメラの取り付けまでやったね。あそこで働いているのは女の人ばかりだからさ、これでも男手としてときには重宝されたよ」

「どういうきっかけで、あそこでアルバイトすることになったわけ？」

高橋は少し迷う。「きっかけ？」

「何かきっかけがあったんでしょう」とマリは言う。「そのへんのこと、カオルさんは言葉を濁していたみたいだけど」

「ちょっと言いにくい話なんだ」

マリは黙っている。

「まあ、いいや」と高橋はあきらめたように言う。「実はあのホテルにある女の子と入ったんだ。つまり、客としてさ。ところがことを済ませて出るときになって、金が足りないことがわかった。女の子も持ちあわせがなかった。そのときは酒が入ってたんで、あとさきのことをよく考えなかったんだよ。しょうがない。学生証を置いてきた」

マリはとくに感想は言わない。

「ほんと、情けない話だよな」と高橋は言う。「それで明くる日、足りない分のお金を持って払いに行った。そしたらカオルさんに、まあお茶でも飲んでいきなよとか言われて、そこであれこれ話をして、そのあげく、明日からうちでアルバイトしろよということになった。むりやり引っぱり込まれたみたいなもんだよ。給料はそんな高くないけど、御飯なんかもよく食べさせてくれた。今使ってるバンドの練習場もカオルさんが紹介してくれたんだ。見かけは荒っぽいけど、面倒見がいい人でね。今でもたまに遊びに行く。コンピュータの具合が悪いと呼ばれたりもする」

「その女の人とはどうなったの？」

「ホテルに入った子と？」

マリはうなずく。

「それっきりだよ」と高橋は言う。「それ以来会ってない。きっと愛想を尽かされたんだろうな。なにせドジだからね。でもまあ、その子にそんな強く心を引かれていたわけでもないんだ。だからべつにかまわない。そのままつきあっていても、遅かれ早かれうまくいかなくなっただろう」

「とくに心も引かれていない人とホテルに入ったりするわけ？　よく？」

「まさか。そんな恵まれた環境にはいない。ラブホテルなんかに入ったのはそのときが初めてだよ」

二人は歩き続ける。

高橋は言い訳するように言う。「それに、そのときだって僕が誘ったわけじゃない。彼女の方から『行こうよ』って言い出したんだ、ほんとの話」

マリは黙っている。

「でもまあ、それも話し出すと長い話になる。事情みたいなものもあってさ」と高橋は言う。

「長い話が多い人なのね」

「そうかもしれない」と彼は認める。「どうしてかな」

マリは言う。「ねえ、さっき兄弟がいないって言ったわよね？」

「うん、一人っ子だ」

「エリと高校が同じだったっていうことは、東京にうちがあるんでしょう。なのにどうして親のところにいないの？　その方が生活だって楽じゃない？」

「それも説明し出すと長い話になる」

「短いバージョンはないの？」

「あるよ。すごく短いやつ」と高橋は言う。「聞きたい？」

「うん」とマリは言う。

「母親は僕の生物学上の母親じゃないんだ」

「だからうまくいかない？」

「いや、うまくいかない、というんでもない。僕はほら、あまり表立ってことを荒立てるタイプじゃないからさ。でも毎日一緒に、世間話でもしながらにこやかに食卓を囲みたいという気持ちにはなれない。それに僕はもともと、一人でいるのが苦痛じゃない性格なんだ。プラス、僕と父親とはかくべつ友好的な関係を保っているとは言えない」

「つまり仲が良くないってこと？」

「ていうか、性格も違うし、価値観も違う」

「お父さんは何をしているの？」

高橋は何も言わずに足もとを見ながらゆっくり歩く。マリも黙っている。

「何をしているのか、よく知らないんだ。実のところ」と高橋は言う。「しかしいずれにせよ、あまりほめられたことはやってないだろうという、限りなく確信に近い推測みたいなものがある。それから、これはあまり人には言わないんだけど、僕がまだ小さな子供のころ、何年か刑務所に入っていたこともある。要するに反社会的人間というか、犯罪者だったんだ。それも家にいたくない理由のひとつだ。遺伝子の具合が気になってくる」

マリはあきれたように言う。「それがすごく短いバージョンなわけ？」、そして笑う。

高橋はマリの顔を見る。「初めて笑った」

10

am

浅井エリが眠り続けている。

しかしさっきまで傍らの椅子に座って、エリの顔を熱心に見つめていた、顔のない男の姿はない。椅子も消えている。あとかたもなく。そのせいで部屋は前よりもさらに素っ気なく、さらに閑散としている。部屋のほぼ中央にベッドがあり、そこにエリが横になっている。救命ボートに乗って静かな海を一人で漂っている人のように見える。私たちはその光景をこちら側から、つまり現実のエリの部屋から、テレビの画面を通して眺めている。あちら側の部屋に存在するらしいカメラが、エリの寝姿を写し、こちらに伝えている。定期的にカメラの位置と角度が変化する。わずかに接近し、わずかに遠ざかる。

時間が経過するが、何ごとも起こらない。彼女は身動きひとつしない。物音ひとつたてない。波もなく流れもない純粋な思惟《しゆい》の海面に、彼女は仰向けに浮かんでいる。にもかかわらず、私たちは送られてくる画像から目を離すことができない。どうしてだろう？　理由はわからない。しかし私たちはある種の直感を通して、そこに何かがあることを感じ取っている。何かがそこにいるのだ。それは存在の気配を消して、水面下に身を潜めている。その目に見えぬもののありかを見定めるために、私たちは動きのない画面を注意深く眺めている。

――今、浅井エリの唇の隅が微かに動いたようだ。いや、動きとも呼べないかもしれない。見えるか見えないかの、細かな震えだ。ただの画像のちらつきかもしれない。目の錯覚かもしれない。何らかの変化を求める心が、このような幻視をもたらしたのかもしれない。私たちはそれを確認するために、いっそう鋭く目をこらす。

カメラのレンズはその意志を汲むように被写体に接近していく。エリの口もとがアップになる。私たちは息をひそめ、テレビの画面を見つめる。次にやってくるはずのものを辛抱強く待ち受ける。再び唇の震えがある。瞬間的な筋肉のひきつり。そう、さっきと同じ動きだ。間違いない。目の錯覚なんかじゃない。浅井エリの身に、何かが起こりつつあるのだ。

こちら側からただ受動的にテレビの画面を眺めていることに、私たちは次第に飽き足らなくなってくる。自分の目で直接、その部屋の内部を確かめたいと思う。エリの見せ始めたかすかな動きを、おそらくは意識の胎動を、より間近に見てみたいと思う。その意味をより具体的に推測してみたいと思う。だから思い切って、画面の向こう側に移動してみることにする。

決断さえすれば、そんなにむずかしいことではない。肉体を離れ、実体をあとに残し、質量を持たない観念的な視点となればいいのだ。そうすればどんな壁だって通り抜けることができる。どんな深淵をも飛び越すことができる。そして実際に、私たちは純粋なひとつの点となり、二つの世界を隔てるテレビ画面を通り抜ける。こちら側からあちら側に移動する。壁を通過し、深淵を飛び越えるとき、世界は大きく歪み、裂けて崩れ、いったん消失する。すべてが混じりけのない細かい塵になって、四方に飛び散る。それからまた世界が再構築される。新しい実体が私たちを取り囲む。すべては瞬きをひとつするあいだの出来事だ。

そして今、私たちはあちら側にいる。テレビの画面に映っていた部屋の中だ。私たちはまわりを見まわし、様子をうかがう。長いあいだ掃除されていない部屋の匂いがする。窓は閉め切られ、空気の動きはない。冷ややかで、かすかに黴くさい。沈黙の深さは、耳が痛くなってしまうほどだ。誰もいない。何かが潜んでいる気配もない。もしそこに何かが潜んでいたとしても、それはもうどこかに去ってしまった。今ここにいるのは私たちと、浅井エリだけだ。

部屋の真ん中に置かれたシングル・ベッドに、エリは眠り続けている。見覚えのあるベッドと、見覚えのあるベッドカバー。彼女のそばに行き、寝顔を眺める。時間をかけ、その細部を綿密に観察する。先にも述べたように、純粋な視点としての私たちにできるのは、ただ観察することだけだ。観察し、情報を集め、もし可能なら判断を下す。彼女に手を触れることは許されない。話しかけることもできない。私たちの存在を遠回しに示唆することさえできない。

やがて、エリの顔に再び動きがある。頬にとまった小さな羽虫を追い払うときのような、筋肉の反射的な動きだ。それから右側のまぶたが何度か細切れに震える。思惟の波が揺れる。彼女の薄暗い意識の片隅で、あるささやかな断片ともうひとつのささやかな断片が、無言のうちに呼応し、波紋が広がるように結びついていく。その過程を私たちは目の前にしている。こうして単位が形成されていく。次にその単位とべつのところで作られた単位が結びついて、自己認識の基本システムが形成されていく。べつの言葉で言い換えるなら、彼女は一歩ずつ覚醒に向かっているのだ。

覚醒のスピードは、もどかしいくらいに遅いものの、歩みには逆行はない。システムはときおりの戸惑いを見せながらも、一刻み一刻み、確実に前に進んでいく。ひとつの動作から次の動作までに要する空白の時間も、次第に短縮されていく。筋肉の動きは最初のうちは顔のあたりだけに限られているが、時間をかけて全身に広がっていく。ある時点で肩が静かに持ち上がり、白い小さな手が掛け布団の下から姿を見せる。左手だ。左手が、右手より一足先に覚醒する。指先が新しい時間性の中で解凍され、ほぐれ、何かを求めてぎこちなく動き出す。やがてその指は、自立した小さな生き物としてベッドカバーの上を移動し、細い喉にあてられる。頼りなげに、自らの肉体の意味を探るように。

ほどなくまぶたが開く。しかし天井に並んだ螢光灯の照明に射られ、ほんの一瞬で閉じられてしまう。彼女の意識はどうやら覚醒を拒んでいるらしい。そこにある現実の世界を排除し、謎に満ちた柔らかな闇の中で無期限に眠り続けることを求めている。その一方で、彼女の身体機能は歴然とした目覚めを求めている。それは新しい自然な光を希求している。彼女の中でこのようなふたつの力のせめぎ合いがあり、葛藤がある。しかし、覚醒を指示する力源が最後には勝利をおさめる。まぶたが再び開く。ゆっくりと、ためらいがちに。でもやはりまぶしい。螢光灯が明るすぎるのだ。彼女は手をあげて両目を覆う。横を向き、枕に頬をつける。

そのまま時間が経過する。3分か4分のあいだ、浅井エリはひとつの姿勢でベッドの上に横になっている。目は閉じられたままだ。また眠り込んでしまったのだろうか？　いや、違う。彼女は時間をかけて、覚醒の世界に意識を馴染ませているのだ。気圧の大きく異なった部屋に移された人が、身体機能を調整していく時と同じように、そこでは時間が重要な役割を果たす。彼女の意識は避けがたい変化が訪れたことを認識し、いやいやながらもそれを受容しようとしている。わずかに吐き気を感じる。胃が収縮し、何かがせり上がってくるような感覚がある。でも長い呼吸を何度か繰り返して、それをやり過ごす。ようやく吐き気が去ると、かわりにいくつかの別の種類の不快感が明らかになる。手足のしびれ、かすかな耳鳴り、筋肉の痛み。あまりに長い時間、ひとつの姿勢で眠っていたせいだ。

再び時間が経過する。

やがて彼女はベッドの上に身を起こし、曖昧な視線であたりを見まわす。ずいぶん広い部屋だ。人の姿はない。ここはいったいどこなのだろう？　私はここで何をしているのだろう？　記憶をたどってみる。しかしどの記憶も、短い糸のようにすぐに途切れてしまう。彼女にわかるのは、自分が今までここで眠っていたらしい、ということだけだ。その証拠に私はベッドの中にいて、パジャマを着ている。これは私のベッドであり、私のパジャマだ。間違いない。でもここは私の場所ではない。身体じゅうがしびれている。もし私が眠っていたのだとしたら、ずいぶん長く、ずいぶん深く眠っていたのだろう。でもどれくらい長い時間だったのか、見当もつかない。つきつめて考えようとすると、こめかみが疼き始める。

　思い切って布団から出る。裸足の足を用心深く床に下ろす。彼女はパジャマを着ている。ブルーの無地のパジャマ。生地はつるつるしている。部屋の空気は肌寒く、彼女は薄いベッドカバーをとって、パジャマの上からそれをケープのようにまとう。歩こうとするが、まっすぐ前に進むことができない。筋肉が本来の歩き方をうまく思い出せないのだ。でも努力して、一歩一歩前に進んでいく。のっぺりとしたリノリウム張りの床は、きわめて事務的に彼女を査定し、詰問する。おまえは誰でここで何をしている、と彼らは冷ややかに問う。しかしもちろん、彼女にはその質問に答えることができない。

　彼女は窓際に行って窓枠に両手をつき、目をこらしてガラス越しに外を眺める。しかし窓の外には風景というものがない。そこにあるのは純粋な抽象概念のような、色のない空間だ。両手で目をこすって、大きく息をつき、もう一度窓の外に目をやる。でもやはり空白のほかには何も見えない。彼女は窓を開けようとするが、窓は開かない。すべての窓を順番に試してみるが、どの窓も釘付けでもされたみたいに、びくともしない。ひょっとしてこれは船かもしれない、と彼女は思う。そういう考えが頭に浮かぶ。身体の中に穏やかな揺れのようなものを感じるからだ。私は今、大きな船に乗っているのかもしれない。波が室内に入らないように、窓が閉めきりになっているのだ。彼女は耳を澄ませ、エンジンのうなりや、船体が波を切る音を聞きとろうとする。しかし耳に届くのは、切れ目のない沈黙の響きだけだ。

時間をかけてその広い部屋を一周し、壁をさわったり、スイッチをさわったりしてみる。どのスイッチを上げても下げても、天井の螢光灯は消えない。何ごとも起こらない。部屋にはドアがふたつある。ごく普通の化粧板の張られたドア。彼女はひとつのドアのノブをまわしてみる。しかし空回りするだけで、手応えはない。押しても引いても、ドアはびくともしない。もうひとつのドアも同じことだ。そこにあるすべてのドアや窓は、まるでそれぞれが自立した生き物であるかのように、彼女に拒絶の信号を送っている。

両手のこぶしでドアを思い切り叩いてみる。誰かがその音を聞きつけて、外側からドアを開けてくれないかと期待して。しかしどれだけ強く叩いても、驚くほど小さな音しかしない。彼女自身の耳にさえほとんど聞き取れないくらいの微かな音だ。誰も（もし外に誰かがいたとしても）そんなものを聞きつけてはくれない。手が痛むだけだ。彼女は頭の奥に目まいに似たものを感じる。身体の内部の揺れがさっきより大きくなっている。

その部屋が白川が深夜に仕事をしていたオフィスに似ていることに、私たちは気づく。とてもよく似ている。あるいは同一の部屋なのかもしれない。ただし今では、それは完全な空き部屋になっている。家具も機器も装飾も、ひとつ残らずはぎ取られて、残っているのは天井の蛍光灯だけだ。すべての事物が部屋から搬出され、最後の一人がドアを閉めて出ていって、それっきりこの部屋の存在は世界中から忘れられ、海の底に沈められてしまったのだ。四方の壁に吸い込まれた沈黙と黴のにおいが、その時間の経過を彼女に、そして私たちに示唆する。

彼女は床にかがみこんで、壁にもたれかかる。めまいと揺れが収まるまで、静かに目を閉じている。やがて目を開け、近くの床に落ちていた何かを拾い上げる。鉛筆だ。消しゴムがついていて、veritechというネームが入っている。白川が使っていたのと同じ銀色の鉛筆だ。芯の先端は丸くなっている。彼女はその鉛筆を手にとって、長いあいだ眺めている。veritechという名前に記憶はない。会社の名前なのだろうか。それとも何かの製品の名前なのだろうか。わからない。彼女は小さく首を振る。その鉛筆のほかに、この部屋についての情報を与えてくれそうなものは、何ひとつ見あたらない。

なぜ自分がそんなところに一人で置かれることになったのか、彼女には理解できない。見覚えのない場所だし、思い当たるところもない。いったい誰が、どのような目的で、私をここに運び込んだのだろう？　ひょっとして私は死んでしまったのだろうか？　これは死後の世界なのだろうか？　彼女はベッドに腰を下ろし、その可能性について検討してみる。でも自分が死んでしまったとは思えない。それに死後の世界はこんなものではないはずだ。もし孤絶したオフィス・ビルの空室に一人きりで閉じこめられるのが死後のあり方だとしたら、いくらなんでも救いがないじゃないか。夢なのだろうか？　いや、違う。夢にしてはものごとに一貫性がありすぎる。細部が具体的で、鮮明すぎる。私はここにあるものを実際に手で触ることができる。彼女は鉛筆の先で手の甲を強く突き、その痛みを確認する。消しゴムを舌でなめ、ゴムの味がすることを確認する。

これは現実なのだ、と彼女は結論を下す。別の種類の現実が、なぜか私の本来の現実に取って代わっているのだ。それがどこからもたらされた現実であれ、私をここに運び込んだのが誰であれ、とにかく私はひとりぼっちで、この風景もなく出口もない、ほこりっぽい奇妙な部屋に置き去りにされ、閉じこめられてしまっている。私は頭がおかしくなってしまったのだろうか？　そしてその結果、施設のようなところに送り込まれたのだろうか？　いや、そんなはずはない。常識で考えて、いったい誰が自分のベッド持参で病院に入るだろう？　だいいちこの部屋は病室には見えない。監獄にも見えない。ここは——そう、ただの広い空き部屋だ。

彼女はベッドに戻り、手で掛け布団を撫でてみる。枕を軽く叩いてみる。しかしそれは当たり前の掛け布団であり、当たり前の枕だ。象徴でもなく、観念でもない。現実の布団と、現実の枕だ。それらは彼女に何の手がかりも与えてはくれない。エリは自分の顔を指先で隅々まで撫でてみる。パジャマの上から自分の乳房に両手をあててみる。それがいつもの自分であることを確認する。美しい顔と、かたちの良い乳房。私はこうしてひとつの肉塊であり、ひとつの資産なのだ、と彼女はとりとめもなく思う。そして自分が自分であるということが、とつぜん不確かに思えてくる。

めまいは消えたが、揺れはまだ続いている。身体を支えている足場が片端から取り払われていくような感覚がある。身体の内側が必要な重みを失い、ただの空洞に変わっていく。これまで彼女を彼女として成立させていた器官や感覚や筋肉や記憶が、何ものかの手によって次々に、手際よく剝奪《はくだつ》されていく。その結果、自分がもう何ものでもなくなり、ただ外部のものごとを通過させるための便利なだけの存在になり果てていくのがわかる。全身の肌が粟立つような激しい孤絶感に襲われる。彼女は大声で叫ぶ。いやだ、私はそんな風に変えられたくはない。しかし大声で叫んだつもりで、喉から現実に出てくるのは、消え入るような小さな声でしかない。

もう一度深く眠り込んでしまいたい、と彼女は願う。ぐっすり眠って目覚めたら、本来の私の現実に戻っていた、ということになったらどんなに素敵だろう。今のところそれが、エリに思いつける、この部屋からの唯一の脱出方法だ。試してみる価値はあるはずだ。でもそのような眠りは、簡単には与えられないだろう。なぜなら彼女はついさっき、眠りから覚めたばかりなのだから。そしてあまりにも長い時間、あまりにも深く眠り続けていたのだ。本来の現実をどこかに置き忘れてくるくらい深く。

拾った銀色の鉛筆を指のあいだにはさんで、くるくるとまわしてみる。その感覚が何かの記憶を導くのではないかと、漠然と期待しながら。でも彼女が指先に感じるのは、果てしない心の渇きだけだ。彼女はその鉛筆を思わず床に落としてしまう。ベッドに横になる。布団にくるまり、まぶたを閉じる。

私がここにいることを誰も知らない、と彼女は思う。私にはそれがわかる。私がここにいることを誰も知らない。

私たちは知っている。しかし私たちには関与する資格がない。

ベッドに横になっている彼女の姿を、私たちは上方から見下ろしている。それから視点としての私たちは次第に後方に引いていく。天井を突き抜け、どんどん後ろに引いていく。どこまでも引いていく。それにつれて浅井エリの姿は次第に小さくなり、ひとつの点となり、やがて消滅してしまう。私たちは速度を上げ、そのまま後ろ向きに成層圏を抜ける。地球が小さくなり、それも最後には消えてしまう。虚無の真空の中を視点はどこまでも後退していく。その動きを制御することはできない。

気がついたとき、私たちは浅井エリの部屋に戻っている。ベッドには誰もいない。テレビの画面が見える。画面にはサンドストームが映っているだけだ。ざあっという耳障りな雑音。私たちはそのサンドストームをしばらく、目的もなく眺めている。

部屋がだんだん暗くなっていく。光が急速に失われていく。サンドストームも消える。完全な暗闇がやってくる。

11

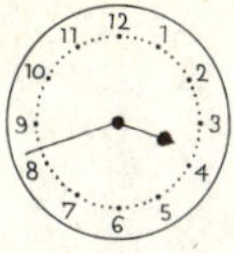

am

　マリと高橋は公園のベンチに並んで座っている。都会の真ん中にある、細長いかたちをした、小さな公園だ。古い公団住宅があり、その一角に子供たちのための遊び場が作られている。ブランコがあり、シーソーと水飲み場があり、水銀灯があたりを明るく照らしている。黒々とした樹木が頭上に大きく枝を伸ばし、植え込みがある。樹木の落とした葉が、地面が見えないくらいつもっていて、上を歩くとぱりぱりという乾いた音がする。午前4時前の公園には、二人のほかに人影はない。白い晩秋の月が、鋭利な刃物のように空にある。マリは膝の上に白い子猫を載せて、ティッシュペーパーに包んで持ってきたサンドイッチを食べさせている。子猫は美味しそうにそれを食べている。彼女はそっと子猫の背中を撫でる。ほかの猫が数匹、少し離れたところからその様子を見ている。

「『アルファヴィル』で働いていたとき、休憩時間に餌をもって、よくここに猫をさわりにきたよ」と高橋が言う。「今はアパートの一人暮らしで猫が飼えないから、手ざわりが懐かしくなるんだ」

「家にいるときは猫を飼っていたの？」とマリが尋ねる。

「兄弟がいないからね、猫が代わりだった」

「犬は好きじゃない？」

「犬も好きだよ。何匹か飼っていた。でも猫の方がいいな。個人的趣味として」

「私は犬も猫も飼ったことはないの」とマリは言う。「お姉さんが動物の毛のアレルギーで、くしゃみがとまらなくなるから」

「そうなんだ」

「あの人は子供のころからいろんなもののアレルギーなの。杉花粉、ブタクサ、鯖、海老、塗り立てのペンキ。そのほかいろいろ」

「塗り立てのペンキ?」と言って、高橋は顔をしかめる。「そんなアレルギー、聞いたことないな」

「でもとにかくそうなのよ。実際に症状も出るし」

「どんな症状?」

「ジンマシンが出て、うまく呼吸ができなくなる。気管支にぶつぶつみたいなのができて、そうなると病院にいかなくちゃならないの」

「塗り立てのペンキの前を通るたびに?」

「いつもってわけじゃないけど、ときどき」

「ときどきでも大変そうだな」

マリは黙って猫を撫でている。

「それで君の方は?」と高橋は尋ねる。

「アレルギーのこと?」

「そう」

「私はそういうのはとくに何もない」とマリは言う。「病気ひとつしたことないし……。だからうちではお姉さんが感じやすい白雪姫で、私は丈夫な山羊飼いの娘なわけ」

「白雪姫は一家に二人もいらないから」

マリはうなずく。

高橋は言う、「でも、健康な山羊飼いの娘というのも悪くないよ。ペンキの塗り具合をいちいち気にせずにすむし」

マリは高橋の顔を見る。「そんなに簡単なことでもないんだけど」

「もちろんそんな簡単なことじゃない」と高橋は言う。「それはわかってるんだけど……ねえ、ここ寒くない？」

「寒くないよ。大丈夫」

マリはツナサンドをまた一切れちぎって、子猫にやる。子猫はずいぶんおなかがすいていたらしく、熱心にそれを食べる。

高橋はその話を持ち出すべきかどうか、しばらく迷っている。でも結局話すことにする。「実を言うとさ、一度だけだけど、君のお姉さんとけっこう長く、二人で話し込んだことがあるんだ」

マリは彼の顔を見る。「いつのこと？」

「今年の四月頃かな。夕方、捜し物があってタワーレコードに寄ったとき、その前でばったり浅井エリと出会ったんだ。僕も一人で、向こうも一人だった。しばらくごく普通に立ち話をしてたんだけど、立ち話では収まりきらなくなって、近くの喫茶店に入った。最初のうちは当たり障りのない世間話だった。高校の同級生が久しぶりに道で会ってやりそうな話だよ。誰がどうしたとか、こうしたとかさ。でもそのあと、どこかお酒を飲めるところに場所を移そうと彼女が言い出して、わりにつっこんだ個人的な話になっていった。なんていうか、彼女には話したいことがたくさんあったみたいだった」

「つっこんだ個人的な話が？」

「そう」

マリはよく理解できないという顔をする。「どうしてあの人はあなたにそういう話をしたのかしら？　あなたとエリとはそれほど親しい間柄にはないという印象を持ってたんだけど」

「もちろん君のお姉さんと僕はとくに親しくない。二年前、君と一緒に例のホテルのプールに行ったときに、初めて話らしい話をしたくらいだ。僕のフルネームを彼女が知っていたか、それだってあやしいと思うよ」

マリは黙って膝の上の猫をなで続けている。

高橋は言う。「でもさ、きっとそのとき彼女は誰かに話をしたかったんだよ。本当ならそういうことって、親しい女友だちに話すところだと思うんだ。でも、君のお姉さんには心を許せる女友だちはいないのかもしれない。だからかわりに僕を相手に選んだんじゃないかな。たまたま僕だったんだ。べつに誰だってよかったんだよ」

「でも、どうしてあなただったの？　私の知る限りでは、彼女は昔から男友だちには不自由しなかったはずだけど」

「きっと不自由しなかっただろうね」

「それなのにたまたま道で会ったあなたに、つまりそんなに親しくもない相手に、つっこんだ個人的な打ち明け話をした。どうしてかな？」

「そうだな……」と高橋はそれについて少し考える。「僕はあまり害がないように見えたのかもしれない」

「害がない？」

「一時的に心を許しても脅威的ではない、ということ」

「よくわからないな」

「つまりさ」、高橋は言いにくそうに少し口ごもる。「変な話だけど、僕はときどきゲイと間違われるんだ。道で知らない男の人に声をかけられて、誘われたりする」

「本当はそうじゃないけど？」

「たぶん違うと思うけど……。でもいずれにせよ、昔からよく人に打ち明け話をされるんだ。男女を問わず、それほど親しくもない相手から、ときにはそれまで面識のない相手から、とんでもない心の秘密を打ち明けられたりする。どうしてだろう？　僕だってそんなもの聞きたいわけじゃないんだけどね」

マリは彼の言ったことを頭の中で咀嚼する。そして言う、「で、とにかくエリはあなたに打ち明け話を始めた」

「うん。打ち明け話というか、個人的な話だよ」

「たとえば、どんな？」とマリは尋ねる。

「たとえば……そうだな、家族のこととか」

「家族のこと？」

「たとえば」と高橋は言う。

「そこには私のことも含まれているわけ？」

「そうだね」

「どんな風に？」

高橋はどのように話すべきか少し考える。「たとえば……、彼女は君ともっと親しくなりたいと思っていた」

「私と親しい、、親しくなりたい？」

「彼女は君が自分とのあいだに、意識的に距離を置いているみたいに感じていた。ある年齢を過ぎてからずっと」

マリは手のひらでそっと子猫を包み込む。彼女はそのささやかな温かみを手の中に感じる。

「でも、適当な距離を置きながら、人と人が親しくなることだってできるでしょ？」とマリは言う。

「もちろん」と高橋は言う。「もちろんそういうことはできる。でもある人にとっては適当な距離に思えても、ほかの人にとってはちょっとそれは長すぎる、みたいなことはあるかもしれない」

大きな茶色の猫がどこからともなくやってきて、高橋の足に頭をこすりつける。彼は身を屈めてその猫を撫でてやる。そしてポケットからはんぺんを出し、ビニールパックを破り、半分をやる。猫はおいしそうにそれを食べる。

「それがエリの抱えている個人的な問題だったわけ？」とマリは尋ねる。「つまり、妹とあまり親しくなれないってことが？」

「個人的な問題のひとつだった。それだけじゃないけど」

マリは黙っている。

高橋は続ける。「僕と話をしているあいだ、浅井エリはありとあらゆる種類の薬を飲んでいた。プラダのバッグの中が薬品でいっぱいで、ブラディーマリーを飲みながら、ナッツを食べるみたいに薬をひょいひょい飲むんだ。もちろん合法的な薬だと思うけどさ、それにしてもあの量はまともじゃないよ」

「あの人は薬のマニアなの。昔からそうだったし、だんだんひどくなってる」

「誰かがとめるべきなんだ」

マリは首を振る。「薬と、占いと、ダイエット——彼女の場合、それは誰にもとめられないの」

「専門医に相談した方がいいんじゃないかって、僕は遠まわしに言ってみた。セラピストだか精神科医だか。でもそういうところに行くつもりは、彼女にはまったくないみたいだった。というか、自分の中で何かが起っていることに、気づいてもいないんだ。だからなんていうかさ、僕としてもわりに気になっていたんだよ。浅井エリはどうなっただろうって」

マリはむずかしい顔をする。「そういうのって、電話して本人に直接尋ねればいいことじゃない。もしあなたが本当にエリのことを心配しているのなら」

高橋は軽い溜息をつく。「そこで今夜の僕らの最初の会話に戻るわけだけど、君のうちに電話をかけて、浅井エリが出て、いったい何をどう話せばいいのか、僕にはよくわからないんだ」

「だってそのときは長い時間、二人でお酒を飲みながら親しくお話をしたんでしょ？　つっこんだ個人的な話を」

「うん。それはそうなんだけど、でもさ、お話をしたと言っても、実際には僕はそのときほとんどしゃべらなかった、彼女がだいたい一人で話して、僕はただ相づちをうっていただけだ。それにはっきり言って、僕が彼女に対して現実的にしてあげられることは、そんなにたくさんないような気がするんだよ。つまり、もっと深いレベルで個人的に関わらない限り……ということだけど」

「そしてあなたとしては、そこまで深入りしたくはない」

「というか……、僕にはできないと思うんだ」と高橋は言う。手をのばして猫の耳のうしろを掻いてやる。「その資格はないと言えばいいのかな」

「わかりやすく言えば、あなたはエリに対してそこまでの深い関心は持てないっていうこと？」

「そんなことを言えば、浅井エリだって僕に深い関心を持っているわけじゃない。さっきも言ったように、ただ誰かに話をしたかっただけだ。僕は彼女にとっては、適当に相づちをうってくれる、多少は人間味のある壁みたいなものにすぎなかった」

「でもそれはそれとして、あなたはエリに深い関心を持ってるの、持ってないの？　イエスかノーで答えるとして」

高橋は迷ったように両手を軽くこすりあわせる。微妙な問題だ。答え方はとてもむずかしい。

「イエス、僕は浅井エリに関心を持っていると思う。君のお姉さんには、ごく自然に輝いているものがあるんだ。そういう特別なものが彼女には生まれつき備わっている。たとえばさ、僕らが二人で酒を飲みながら親しげに話をしていると、みんなじろじろ見るんだ。どうしてあんな美人が、僕みたいなぱっとしない男と一緒にいるんだろうって」

「しかし——」

「しかし？」

「よく考えてみて」とマリは言う。「私は『エリに深い関心を持っているか？』って質問したのよ。それに対してあなたは『関心は持っていると思う』って答えた。そこには深いっていう言葉が抜けている。何かが棚上げされてるみたいな気がする」

高橋は感心する。「君はずいぶん注意深いんだな」

マリは無言で相手の話を待っている。

高橋はどう答えるべきか少し迷う。「しかし……、そうだな、君のお姉さんと向かい合って長く話しているとね、だんだんこう、不思議な気持ちになって来るんだ。最初のうちはその不思議さに気づかない。でも時間がたつにつれて、それがひしひし感じられるようになってくる。なんていうか、自分がそこに含まれていないみたいな感覚なんだ。彼女はすぐ目の前にいるのに、それと同時に、何キロも離れたところにいる」

マリはやはり何も言わない。軽く唇を噛みながら、話の続きを待っている。高橋は時間をかけて適切な言葉を探し求める。

「要するにさ、僕が何を言ったところで、それは彼女の意識には届かないんだよ。僕と浅井エリとのあいだには透明なスポンジの地層みたいなものが立ちはだかっていて、僕の口にする言葉は、そこを通り抜けるあいだにあらかた養分を吸い取られてしまう。本当の意味では、彼女はこちらの話なんか聞いていないんだ。話をしているうちに、そういう様子がわかってくる。すると今度は、彼女が口にする言葉だって、うまくこちらに届かなくなってくる。それはとても妙な感じなんだ」

ツナサンドがなくなってしまったことがわかると、子猫は身をよじらせてマリの膝の上から地面に飛び降りる。そして跳ねるように、植え込みの奥に走り去っていく。マリはサンドイッチをくるんでいたティッシュペーパーを丸めてバッグの中に入れる。手に付いたパンくずを払う。

高橋はマリの顔を見る。「言ってること、わかるかな？」

「わかるっていうか……」とマリは言う。そして一息置く。「今あなたが言ったことは、私がエリに対してずっと感じてきたことに近いかもしれない。少なくともこの何年かのあいだ」

「言葉がうまく届かない、みたいなこと？」

「そう」

高橋ははんぺんの残りを、近くに寄ってきたほかの猫に投げてやる。猫は用心深くその匂いをかいでから、興奮したようにがつがつと食べる。

「ねえ、ひとつ質問があるんだけど、正直に答えてくれる？」とマリは言う。

「いいよ」

「あなたが『アルファヴィル』に一緒に行った相手の女の子って、ひょっとしてうちのお姉さんじゃないの？」

高橋は驚いて顔を上げ、マリの顔を見る。小さな池の水面に広がっていく波紋を見るように。

「どうしてそう思うの？」と高橋は尋ねる。

「なんとなく。勘として。違う？」

「いや、浅井エリじゃない。違う子だよ」

「本当に？」

「本当に」

マリはしばらく考える。

「もうひとつ質問していい？」とマリは言う。

「もちろん」

「もしあなたがうちのお姉さんと一緒にそのホテルに入って、セックスをしたとする。ひとつの仮定として」

「ひとつの仮定として」

「ひとつの仮定として。そしてその上で、私が『あなたはうちのお姉さんと一緒にそのホテルに入って、セックスをしたでしょう？』と質問したとする。仮定として」

「仮定として」

「そうしたらあなたは正直にイエスと返事すると思う？」

高橋はそれについて少し考える。

「しないと思う」と彼は言う。「たぶんノーって言うだろうね」

「どうして？」

「そこには君のお姉さんのプライバシーが関わってくるから」

「守秘義務みたいなもの？」

「一種の」

「じゃあ、『それには答えられない』というのが正しい答え方じゃないの？　もしそれが守秘義務であるなら」

高橋は言う。「でもさ、もし僕が『それには答えられない』と言ったとしたら、前後関係からして、イエスと言ったのと事実上同じことになってしまう。そうだよね？　それは未必の故意になる」

「だからいずれにしても、答えはノーなのね？」

「理論的には」

マリは相手の顔をのぞき込むようにして言う。「ねえ、私としてはどっちだってべつにかまわないのよ。あなたがエリと寝たとしても。もし彼女がそれを求めていたのであれば」

「浅井エリが何を求めているのか、それは本人にもよくつかめていないんじゃないかな。でもその話はもうやめよう。理論的にも現実的にも、僕が『アルファヴィル』に行った相手はべつの女の子で、浅井エリじゃないんだから」

マリは小さく溜息をつく。そして少し時間を置く。

「エリともっと親しくなれればよかったんだろうと私も思う」と彼女は言う。「とくに十代の初めにはよくそう思った。お姉さんといちばんの親友みたいになりたいって。もちろん憧れみたいなものもあったしね。でもその頃にはあの人は、とんでもなく忙しかったの。当時から少女雑誌のモデルをしていたし、お稽古ごともたくさんあったし、まわりからちやほやされていた。私にはつけいる隙がなかった。つまり、私がそれを求めていたときには、その求めに応じるような余裕はエリにはなかったのよ」

高橋は黙ってマリの話を聞いている。

「私たちは姉妹として、生まれてからずっと同じ屋根の下に住んできたけど、育った世界は実際にはずいぶん違っているわけ。たとえば食べるものひとつとっても、同じじゃなかった。ほら、いろんなアレルギーがあるから、ほかのみんなとは違う特別な献立をあの人は食べていたの」

少し間があく。

マリは言う。「べつに非難して言っているんじゃないのよ。お母さんはエリのことを甘やかしすぎていると私は思っていたけど、今となってはそれはどうでもいいことなの。私が言いたいのは要するに、私たちのあいだにはそういう歴史というか、経緯みたいなものがあるってこと。それで今ごろになって、もっと親しくなりたかったとか言われても、私としては正直なところ、どうすればいいのか途方に暮れてしまうわけ。その感じはわかる？」

「わかると思う」

マリは何も言わない。

「浅井エリと話しているときにふと思ったんだけど」と高橋は言う。「彼女は君に対して、コンプレックスみたいなものを感じ続けていたんじゃないのかな。たぶんけっこう昔から」

「コンプレックス？」とマリは言う。「エリが私に？」

「そう」

「逆じゃなくて？」

「逆じゃなくて」

「どうしてそう思うわけ？」

「つまりさ、妹である君はいつも、自分が手に入れたいものごとのイメージをきちんと持っていた。ノーと言うべきときには、はっきりそう口にすることができた。自分のペースでものごとを着々と進めてきた。でも浅井エリにはそれができなかった。与えられた役割をこなし、まわりを満足させることが、小さい頃から彼女の仕事みたいになった。君の言葉を借りれば、立派な白雪姫になろうと務めてきたんだ。たしかにみんなにちやほやされただろうけど、それは時にはしんどいことだったと思うよ。人生のいちばん大事な時期に、自分というものをうまく打ち立てることができなかった。コンプレックスという言葉が強すぎるとしたら、要するに、君のことがうらやましかったんじゃないかな」

「エリがあなたにそう言ったの？」

「いや。彼女が話したことの周辺部をかき集めて、僕が今ここで想像したんだ。そんなにはずれてないと思うけど」

「でも、そこには誇張があると思う」とマリは言う。「たしかに私はエリに比べれば、ある程度自立的な生き方をしてきたかもしれない。それはわかるよ。でもその結果としてここにいる現実の私は、ちっぽけで、ほとんど何の力も持っていない。知識も足りないし、頭だってたいした出来じゃない。美人でもないし、とくに誰かに大事に思われているわけでもない。そんなことを言えば私だって、自分というものがうまく打ち立てられたわけじゃないのよ。狭い世界の中で、しょっちゅう足もとをふらふらさせている。そんな私のいったいどこが、エリにはうらやましいの？」

「君にとって、今はまだ準備期間みたいなものなんだよ。そんなに簡単に結論は出ない。たぶん時間のかかるタイプなんだ」

「あの子も19歳だった」とマリは言う。

「あの子？」

「『アルファヴィル』の部屋の中で知らない男に殴られて、服もみんなはぎ取られて、裸で血を流していた中国人の女の子。きれいな女の子だった。でもその子の住んでいる世界には準備期間なんてものはない。時間がかかるタイプかどうかなんて、誰も考えてはくれない。そうでしょ？」

高橋は無言でそれを認める。

マリは言う。「一目見たときから、その子と友だちになりたいと思ったの。とても強く。そして私たちは、もっと違う場所で、違うときに会っていたら、きっと仲のいい友だちになれたと思うんだ。私が誰かに対してそんな風に感じることって、あまりないのよ。あまりっていうか、全然っていうか」

「うん」

「でもいくらそう思っても、私たちの住んでいる世界はあまりにも違いすぎている。それはとても私の手には負えないことよね。どれだけがんばってみても」

「そうだね」

「でもね、ほんの少しの時間しか会わなかったし、ほとんど話もしていないのに、今ではなんだかあの女の子が、私の中に住み着いてしまったみたいな気がするの。彼女が私の一部になっているような。うまく言えないんだけど」

「君はその女の子の痛みを感じることができる」

「そうかもしれない」

高橋は何かを深く考えている。それから口を開く。

「ちょっと思ったんだけどさ、こんな風に考えてみたらどうだろう？　つまり、君のお姉さんはどこだかわからないけど、べつの『アルファヴィル』みたいなところにいて、誰かから意味のない暴力を受けている。そして無言の悲鳴を上げ、見えない血を流している」

「それは比喩的な意味で？」

「たぶん」と高橋は言う。

「あなたはエリと話をして、そういう印象を受けたわけ？」

「彼女はいろんなトラブルを一人で抱えて、うまく前に進めず、助けを求めている。そして自分を痛めつけることで、その気持ちを表現している。それは印象というよりは、もっとはっきりしたことだよ」

マリはベンチから立ち上がり、夜の空を見上げる。それからブランコのところに行って座る。黄色いスニーカーが枯れ葉を踏む乾いた音が、誇張されてあたりに響き渡る。彼女は、ブランコの太いロープの強度を確かめるように、しばらく触っている。高橋もベンチを立ち、枯れ葉の上を歩き、マリのとなりに行って座る。

「エリは今、眠っているのよ」とマリは打ち明けるように言う。「とても深く」

「みんなもう眠ってるよ、今の時間は」

「そうじゃなくて」とマリは言う。「あの人は目を覚まそうとしないの」

12

am

白川の働いているオフィス。

白川は上半身裸で床に横になり、ヨガマットの上で腹筋運動をしている。シャツとネクタイは椅子の背にかけられ、眼鏡と腕時計は机の上に並べて置かれている。身体は痩せているが、胸は厚く、胴のまわりには余分な肉はまったくついていない。筋肉は硬く盛り上がっている。裸になると、服を着ているときとは印象がずいぶん違う。深く、しかし簡潔に呼吸をしながら、速いスピードで身体を上に起こし、左右に曲げる。胸や肩に細かい汗が吹き出し、それが螢光灯の明かりを受けて光る。机の上のポータブルＣＤプレーヤーからは、ブライアン・アサワの歌うアレッサンドロ・スカルラティのカンタータが流れている。そのゆったりとしたテンポは身体の激しい動きとは異質なように思えるが、彼は音楽の流れにあわせて、微妙に動きをコントロールしている。どうやら夜中の仕事を終えたあと、帰宅する前に、オフィスの床で古典音楽を聴きながら、一連の孤独な運動をするのが、日常的な習慣になっているらしい。その動きはシステマチックであり、確信に満ちている。

定められた数の屈伸運動を終了すると、ヨガマットを丸めてロッカーにしまう。棚から白いフェイス・タオルとビニールの洗面バッグを出し、それを持って洗面所に行く。上半身裸のまま石鹸で顔を洗い、タオルで顔を拭き、それから身体の汗を拭きとる。動作がひとつひとつ念入りである。洗面所のドアを開け放しにしているので、スカルラティのアリアはここでも聞こえる。彼は17世紀に作られたその音楽に合わせて、ところどころハミングする。洗面バッグからデオドラントの小瓶を出して、わきの下に軽くスプレーする。顔を近づけて匂いを確認する。そのあとで右手の指を何度か開閉し、いくつかの動きを試してみる。手の甲

いるようだ。
の腫れを確認する。腫れは目立つほどではない。しかし痛みは少なからず残っている。

バッグから小さなヘア・ブラシを出して髪を整える。髪の生え際はいくぶん後退しているが、額のかたちが悪くないので、何かが減衰しているという印象はない。眼鏡をかける。シャツのボタンをとめ、ネクタイを結ぶ。淡いグレーのシャツに、紺のペイズリー柄のネクタイ。鏡を見ながら、シャツの襟をまっすぐにし、ネクタイのディンプルを整える。

白川は、洗面所の鏡に映った自分の顔を点検する。顔の筋肉を動かすことなく、長いあいだ厳しい目つきで自分を凝視している。両手は洗面台の上に置かれている。息を止め、まばたきもしない。そのようにしていたら、何か別のものが出現してくるのではないかという期待が、彼の心にはある。すべての感覚を客体化し、意識をフラットにし、論理を一時的に凍結し、時間の進行を少しでもくい止める。それが彼のやろうとしていることだ。自分という存在を、可能な限り背景に溶け込ませてしまうこと。すべてを中立的な静物画のように見せかけること。

でもひたすら気配を殺しても、別のものは出現しない。鏡の中にある彼の姿は、現実どおりの彼の姿でしかない。ありのままの反映でしかない。彼はあきらめて深く息を吸い込み、肺を新しい空気で満たし、体勢を立て直す。筋肉の力を緩め、大きく何度か首を回す。そのあとで洗面台の上に出した私物を、再びビニールのバッグに収める。身体を拭いたタオルを丸めて、ゴミ箱に捨てる。出ていくときに洗面所の明かりを消す。ドアが閉まる。

白川が出て行ってしまったあとも、私たちの視点はそのまま洗面所に留まり、固定されたカメラとして、暗い鏡をなおも写し続けている。鏡の中には、白川の姿がまだ映っている。白川は――あるいは白川の像はというべきなのだろうか――鏡の中から、こちらを見ている。彼は表情を変えず、動かない。ただまっすぐこちらを凝視している。しかしやがてあきらめたように身体の筋肉を緩め、大きく息をつき、首を回す。それから手を顔にやり、頬を何度か撫でる。そこに肉体の感触があることを確かめるように。

白川は机の前で何かを考えながら、銀色のネーム入り鉛筆を指のあいだでくるくるまわしている。浅井エリが目覚めた部屋の床に落ちていたのと同じ鉛筆だ。veritechというネームが入っている。先端は丸くなっている。しばらくその鉛筆をもてあそんでから、トレイのとなりに置く。トレイの上には同じ鉛筆が6本並べて置いてある。ほかの鉛筆は、これ以上尖れないくらい鋭く尖っている。

彼は帰り支度にかかる。持ち帰る書類を茶色の革鞄に入れ、スーツの上着を着る。洗面バッグをロッカーに戻し、そのとなりの床に置いてあった大きなショッピングバッグを、自分の机まで持ってくる。椅子に腰を下ろし、バッグの中にあるものをひとつずつ取り出して点検する。彼が「アルファヴィル」で中国人の娼婦から、はぎ取ってきた衣類だ。

クリーム色の薄いコート、赤いローヒールの靴。靴底はいびつにすり減っている。ビーズのついた濃いピンクの丸首セーター、刺繍の入った白いブラウス、ブルーのタイトなミニスカート。黒いパンティーストッキング。きつい色合いのピンクの下着。いかにも化学繊維らしい安っぽいレースがついている。それらの衣服が与える印象は、セクシュアルというよりは、むしろもの悲しい種類のものだ。ブラウスと下着には黒く血がついている。安物の腕時計。黒い人造革のバッグ。

それらをひとつひとつ手にとって点検しながら、白川は終始「どうしてこんなものがここにあるのだろう?」という顔をしている。微量の不快さをふくんだ、怪訝《けげん》な表情だ。もちろん彼は、「アルファヴィル」の一室で自分がどんなことをしたのか、そっくり記憶している。たとえ忘れようとしても、右手の痛みが思い出させてくれるはずだ。にもかかわらずそこにあるすべての事物は、ほとんど正当な意味をなさないものとして、彼の目に映る。無価値な廃棄物。もともと彼の生活に侵入してくるべきではない種類のものだ。それでも作業は無感動に、しかしそれなりに丹念に続けられる。近過去のみすぼらしい遺跡の発掘を、彼は進める。

彼はバッグの留め金をはずし、その中身を洗いざらい机の上にあける。ハンカチにティッシュペーパー、コンパクト、口紅、アイライナー、その他細かい化粧品がいくつか。喉飴。ワセリンの小さな瓶とコンドームの袋。タンポンが二本。痴漢よけの小型催涙ガス(白川にとって幸いなことに、彼女にはそれをバッグから取り出す余裕がなかった)。安物のイヤリング。バンドエイド。いくつかの錠剤の入ったピルケース。茶色の革の財布。財布の中には彼が最初に渡した一万円札が三枚、あとは数枚の千円札といくらかの小銭が入っている。ほかにはテレフォンカードと地下鉄のカード。美容室の割引券。身元を明らかにするようなものは何も入っていない。白川は少し迷ってから、金を抜き取ってズボンのポケットに入れる。どうせ自分が渡した金だ。取り戻すだけのことだ。

バッグの中には、小さな折り畳み式の携帯電話も入っている。プリペイドの携帯電話だ。持ち主がたどられることはない。電話は留守番録音機能になっている。彼は電源スイッチを入れて、再生ボタンを押してみる。メッセージはいくつか入っているが、どれも中国語のメッセージだ。同じ男の声。早口で叱責しているように聞こえる。メッセージそのものは短い。もちろん彼には内容を理解することはできない。しかしいちおう入っているメッセージを全部最後まで聞いてから、留守番機能をオフにする。

どこかから紙のゴミ袋を持ってきて、携帯電話以外のものをみんなまとめてそこに放り込み、小さくつぶしてしっかりと口を縛る。それをビニールのゴミ袋に入れ、しっかり空気を抜いてからまた口を縛る。携帯電話だけはほかのものとは別にされ、机の上に置かれている。彼はその電話をとりあげ、しばらく眺め、また机の上に戻す。どう処分すればいいのか、考えているようだ。何か使い道があるかもしれない。でもまだ結論は出ない。

白川はCDプレーヤーのスイッチを切り、机のいちばん下の深い引き出しに入れ、鍵をかける。ハンカチで眼鏡のレンズを丁寧に拭いてから、机の電話をとってタクシー会社を呼び出す。会社の名前と自分の名前を告げ、タクシーを一台、十分後に通用口にまわしてもらう。コート掛けにかかっていた淡いグレーのトレンチコートを着て、机の上に置かれていた女の携帯電話をポケットに突っ込む。革鞄とゴミ袋を手に持つ。ドアの前に立って部屋全体を見渡し、問題がないことを確認してから明かりを消す。天井の螢光灯が全部消えても、室内は真っ暗にはならない。街灯や看板の光がブラインドのあいだから差し込み、部屋の中をほのかに照らし出している。彼はオフィスのドアを閉め、廊下に出る。硬い靴音を立てて廊下を歩きながら、長いあくびをする。かわり映えのしない一日がこれでようやく終わった、というように。

エレベーターで下に降りる。通用口のドアを開け、外に出て鍵をかける。吐く息はすっかり白くなっている。待っていると、すぐに一台のタクシーがやってくる。中年の運転手は運転席の窓を開け、白川の名前を確認する。それから白川が手にしているビニールのゴミ袋に、さりげなく目をやる。

「生ゴミじゃないから臭わないよ」と白川は言う。「それに、すぐ近くに寄って捨てていくから」

「いいですよ、どうぞ」と運転手は言う。ドアを開ける。

白川はタクシーに乗り込む。

運転手はミラーに向かって話しかける。「お客さん、失礼ですけど、たしか前にもお乗せしたことありますね。やはりこれくらいの時間に、ここに迎えに来ましたよ。ええと、お宅は江古田の方でしたっけね？」

「哲学堂」と白川は言う。

「そうそう、哲学堂だった。今日もそちらでいいんですか？」

「いいよ。いいも悪いも、どうせそこしか帰る場所はないんだ」

「帰るところがひとつに決まっているってのは、便利でいいです」と運転手は言う。そして車を発車させる。「しかし大変ですね。いつもこんな時間までお仕事で」

「不景気だから、給料はあがらず、残業ばっかり増える」

「こっちも同じようなもんです。稼ぎの悪い分、働く時間をのばして埋めなくちゃならない。でもね、残業してタクシー代が会社から出るだけ、まだお客さんなんかいいですよ。ほんとの話」

「だって、こんな時間まで働かされて、タクシー代が出なくちゃ家に帰れないよ」と白川は言って苦笑いする。

彼はそれからふと思い出す。「……ああそうだ。忘れるところだった。その先の交差点を右に曲がって、セブンイレブンの前で停めてくれないかな。女房に頼まれた買い物があるんだ。すぐに終わるから」

運転手はルームミラーに向かって話しかける。「お客さん、あそこを右に曲がると一方通行がありまして、ちっと遠回りになります。ほかのコンビニなら途中にいくつかありますけど、それじゃいけませんかね？」

「頼まれたものは、そこにしかたぶん売ってないんだ。それにこのゴミも早く捨ててしまいたいし」

「いいですよ。私のほうはかまいません。ただメーターが余分に上がるかもしれないんで、いちおううかがったまでです」

運転手は交差点を右に曲がってしばらく進み、適当な場所で車を停めてドアを開ける。白川は鞄をシートに置いたまま、ゴミ袋を持って降りる。セブンイレブンの前にゴミ袋がいくつか積み上げてある。彼は持っていたゴミ袋をその上に重ねて置く。たくさんの同じようなビニール袋にまじって、それはあっという間に特徴を失ってしまう。朝がくれば、回収車がやって来て処理してくれるだろう。生ものが入っているわけではないから、カラスに袋を破られることもないはずだ。彼は最後にもう一度ゴミ袋の山に視線をやってから、店に入る。

店内には客の姿はない。レジ係の若い男は、携帯電話で会話に熱中している。サザンオールスターズの新曲がかかっている。白川はまっすぐ牛乳のケースの前に行って、タカナシのローファット牛乳のパックを手にする。賞味期限の日付を確認する。大丈夫。ついでにプラスチックの大きな容器に入ったヨーグルトも買う。それからふと思いついて、コートのポケットから中国女の携帯電話を取り出す。まわりを見まわし、誰にも見られていないことを確かめてから、チーズの箱の隣りに並べて置く。銀色の小さな電話は、その場所に不思議なくらい自然に収まる。まるでずっと昔からそこにあったもののようだ。それは白川の手を離れ、セブンイレブンの一部になる。

レジで勘定を払い、急ぎ足でタクシーに戻る。

「買えました？」と運転手は尋ねる。

「買えた」と白川は言う。

「じゃあこれから一路、哲学堂に向かいます」

「少し寝るかもしれないから、近くに着いたら起こしてもらえるかな？」と白川は言う。「通り沿いに昭和シェルのガソリンスタンドがあって、その少し先なんだけど」

「わかりました。ごゆっくり」

白川は牛乳とヨーグルトの入ったビニール袋を鞄の横におき、腕を組んで目を閉じる。たぶん眠りは訪れないだろう。しかしうちに着くまで、運転手とこのまま世間話を続ける気にはなれない。彼は目を閉じたまま、何か神経にさわらないことを考えようとする。日常的なこと、深い意味のないこと。あるいはただ純粋に観念的なこと。しかしひとつとして思いつけない。空白の中で、ただ右手の鈍い痛みを感じる。それは心臓の鼓動にあわせて疼き、海鳴りのように耳に響く。不思議だな、と彼は思う。海なんてずっと遠くにしかないのに。

白川の乗ったタクシーは、しばらく進んだところで赤信号で停止する。大きな交差点で、長い赤信号だ。タクシーのとなりで、中国人の男の乗った黒いホンダのバイクがやはり信号待ちをしている。二人のあいだにはわずか一メートルほどの距離しかない。しかしバイクの男は、まっすぐ前を見ており、白川には気づかない。白川はシートの中に深く沈み込んで、目を閉じている。遠い架空の海鳴りに耳を澄ませている。信号が青に変わり、バイクはそのまますっと前に出て、直進する。タクシーは白川を起こさないように静かに発進し、左折して街を離れていく。

13

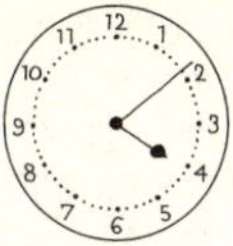

am

人けのない深夜の公園の二台のブランコに、マリと高橋が並んで座っている。高橋はマリの横顔を見ている。よく理解できない、という表情が彼の顔に浮かんでいる。さっきの会話の続きだ。

「目を覚まそうとしない？」

マリは何も言わない。

「それはどういうこと？」と彼は尋ねる。

マリは心を決めかねるように、黙って足もとを見ている。その話をする準備が彼女にはまだできていないのだ。

「……ねえ、少し歩かない？」とマリは言う。

「いいよ。歩こう。歩くのはいいことだ。ゆっくり歩け、たくさん水を飲め」

「何、それ？」

「僕の人生のモットーだ。ゆっくり歩け、たくさん水を飲め」

マリは彼の顔を見る。奇妙なモットーだ。でもとくに感想も述べず、質問もしない。彼女はブランコから立ち上がって歩き始め、高橋もあとに従う。二人は公園から出て、街の明るい方に向かう。

「これからまた『すかいらーく』に戻るの？」と高橋は尋ねる。

マリは首を振る。「ファミレスでじっと本を読んでるのも、けっこうつらくなってきたみたい」

「わかるような気がする」と高橋は言う。

「できたら『アルファヴィル』にもう一度行ってみたいんだけど」

「送っていこう。どうせ練習場の近くだ」

「いつでも来ていいって、カオルさんは言ってくれたんだけど、迷惑じゃないかな?」とマリは言う。

高橋は首を振る。「口は悪いけど、正直な人だよ。あの人がいつでも来ていいって言うのなら、それはいつ行ってもいいってことなんだ。そのまま受け取ってかまわない」

「うん」

「それにあそこ、どうせこの時間はやたら暇なんだ。君が遊びにいけば喜ばれると思うな」

「あなたはまだバンドの練習があるんでしょ?」

高橋は腕時計を見る。「オールナイトの練習に参加するのも、これがたぶん最後だからね、あと一山がんばって盛り上がろうと思う」

二人は街の中心部に戻る。さすがにこの時間になると、通りを歩く人の姿もほとんどない。午前四時、都市がもっとも閑散とする時刻だ。路上にはいろんなものが散乱している。ビールのアルミニウム缶、踏まれた夕刊紙、つぶされた段ボール箱、ペットボトル、煙草の吸い殻。車のテールランプの破片。軍手の片方。

何かの割引券。嘔吐のあともある。大きな汚れた猫が熱心にゴミ袋のにおいをかいでいる。ネズミたちに荒らされないうちに、そして夜が明けて獰猛《どうもう》なカラスたちが餌を漁りにやってくる前に、自分たちの取り分を確保しようとしているのだ。ネオンも半分以上は消えて、終夜営業のコンビニエンス・ストアの明かりが目立つようになっている。駐車している車のワイパーには、広告のちらしが何枚も乱雑に挟まれている。近くの幹線道路を大型トラックが通り過ぎていく音がひっきりなしに聞こえる。トラックの運転手たちにとっては、道路ががらがらにすいている今が、もっとも距離を稼げる時間帯なのだ。マリはレッドソックスの帽子を深くかぶっている。両手をスタジアム・ジャンパーのポケットにつっこんでいる。並んで歩くと、二人のあいだにはかなりの身長差がある。

「どうしてレッドソックスの帽子をかぶってるの?」と高橋は質問する。

「誰かにもらったから」とマリは言う。

「とくにレッドソックスのファンっていうんじゃないんだ」

「野球のことはなにも知らない」

「僕も野球にはあまり興味ない。どっちかっていうとサッカーのファンだ」と高橋は言う。「それで、君のお姉さんのことなんだけどさ。さっきの話」

「うん」

「よくわからないんだけど、つまり、浅井エリはまったく目を覚まさないっていうこと？」と高橋は質問する。

マリは見上げるようなかっこうで彼に言う。「悪いけどその話、こんな風に歩きながらしたくないの。ちょっと微妙なことだし」

「わかった」

「何かべつの話をして」

「どんな話？」

「なんでもいいよ。あなたの話をして」とマリは言う。

「僕の話？」

「そう。あなたについての話」

高橋はしばらく考える。

「明るいトピックは思いつけないけど」

「いいよ。暗くても」

「母親は、僕が七つのときに死んだ」と彼は言う。「乳癌。発見が遅かったので、癌がみつかってから死ぬまでに三ヵ月しかかからなかった。あっという間だよ。進行が速くて、まともな治療を受ける暇もなかった。その前後父親はずっと刑務所の中にいた。さっきも言ったように」

マリはまた高橋を見上げる。

「あなたは七つで、お母さんが乳癌でなくなって、お父さんはそのあいだ刑務所に入っていた？」

「そういうこと」と高橋は言う。

「つまり、一人ぼっちになったわけ？」

「そのとおり。父親は詐欺罪で逮捕されて、懲役二年をくらった。マルチ商法だか、その手のやばいことをやっていたらしい。被害金額もわりと大きかったし、若いころに学生運動の組織に入っていて、そのときに何度か逮捕歴があったもんで、執行猶予はもらえなかった。組織の資金集めじゃないかと疑われたんだ。本当は関係なかったんだけどね。母親に連れられて刑務所まで面会に行ったことを覚えてるよ。ずいぶん寒いところだったな。父が刑務所に入って半年くらいあとに、母の乳癌が発見され、即刻入院ということになった。要するに、僕は一時的な孤児になったわけだ。父は刑務所、母は病院」

「そのあいだ誰があなたの面倒を見てたの？」

「あとで聞いた話だと、入院費と生活費は父親の実家が用立ててくれたみたいだ。父は実家と折り合いが悪くて、長いこと絶縁状態になっていたんだけど、やっぱり七歳の子どもを見殺しにもできないものね。親戚のおばさんが、渋々ながらという感じで、一日おきに来てくれた。近所の人も交代で世話をしてくれた。洗濯したり、買い物をしてくれたり、料理を届けてくれたり。うちはそのとき下町にあったから、それはよかったかもしれない。あのへんはまだ近所みたいなものが機能しているからさ。でもだいたいのことは僕一人でやってたような気がするな。自分で簡単な食事を作って、自分で支度をして学校に行って……。でもそのあたりは、ぼんやりとしか覚えてないんだ。なんだか遠い他人ごとみたいに思える」

「お父さんはいつ戻ってきたの？」

「母が死んで、三ヵ月後くらいだっけな。事情が事情だから早期の仮釈放が認められた。当たり前のことだけど、父が帰ってきてくれてそれは嬉しかったよ。もう孤児じゃなくなったわけだからね。なにしろでかくて力強い大人だ。ほっとすることができた。戻ってきたとき、父親は古いツイードの上着を着ていて、ざわざわした生地の手触りと、そこにしみた煙草のにおいを今でもよく覚えている」

高橋はコートのポケットから手を出して、首のうしろを何度かさする。

「でもさ、父親に再会しても、心の底から安心することはできなかった。うまく言えないんだけど、ものごとが僕の中でそんなにぴったりとは収まらなかった。なんていうか、自分が適当にごまかされているんじゃないか、みたいな気がいつまでもしていた。つまり、本物の父親は永遠にどっかに消えてしまって、そのつじつまをあわせるために、べつの人がとりあえず父親のかたちをして僕のところに送り込まれてきた、みたいな感じだよ。わかるかな?」

「なんとなく」とマリは言う。

高橋はしばらく黙って間を置く。それから話の続きをする。

「つまりさ、僕はそのときこう感じたんだよ。お父さんはたとえ何があろうと僕を一人にするべきじゃなかったんだって。僕をこの世界で孤児にするべきじゃなかったんだ。どんな事情があれ、刑務所なんかに入るべきじゃなかった。刑務所というのがどういう場所なのか、その頃の僕にはもちろん正確には理解できなかった。まだ七歳だからね。でもそれがでかい押入れみたいな場所であることは、だいたいわかっていた。うす暗くて、怖くて、不吉なところだ。父はそもそもそんなところに行くべきじゃなかったんだよ」

高橋はそこで話をやめる。

「君のお父さんは刑務所に入ったことある？」

マリは首を振る。「ないと思う」

「お母さんは？」

「ないと思う」

「それは幸運なことだよ。君の人生にとってなにより喜ばしいことだ」と高橋は言う。そして微笑む。「おそらく君は気がついてないと思うけど」

「そんな風に考えたことはなかったな」

「普通の人は考えない。僕は考える」

マリは高橋の顔をちらりと見る。

「……それでそのあと、あなたのお父さんはもう刑務所には入らなかったの？」

「父はそのあとは一度も法律とは問題を起こさなかった。いや、起こしたかもしれない。というか、きっと起こしていたと思うんだ。世の中をまっすぐに歩いてはいけない人だからさ。でも刑務所に戻るような荒っぽいことには巻き込まれなかった。きっと刑務所に入ることに懲りたんだろうね。それとも死んだ母や僕に対して、あの人なりに個人的責任みたいなものを感じていたのかもしれない。とにかくかなりグレーなゾーンにおいてではあるけれど、いちおう堅気の実業家になった。これまでずいぶん極端な浮き沈みがあって、うちの一家はあるときはなかなかの金持ちになったし、あるときはとことん貧乏になった。まるで毎日ローラーコースターに乗っているみたいだったな。運転手付きのでかいメルセデス・ベンツに乗っていることもあれば、自転車ひとつ買えないこともあった。夜逃げみたいなのもやったよ。ひとつの場所に落ち着いて暮らせなくて、ほとんど半年ごとに学校を転校した。もちろん友だちなんてできやしない。中学校に入るくらいまではだいたいそんな感じだったね」

高橋は両手をコートのポケットにもう一度突っ込み、首を振ってうす暗い記憶をどこかに押しやる。

「でも今はまずまずのところで落ちついている。なにしろ団塊の世代だからね、しぶといんだ。ミック・ジャガーがサーの称号をもらうような世代だ。ぎりぎりのところで踏みとどまって生き残る。反省はしなくても、教訓は学ぶ。父が今どんな仕事をしているのか、よくは知らない。こっちもそういうことは尋ねないし、向こうもあえて説明しない。とにかく学費だけは滞りなく払ってくれている。気が向けばときどきまとめて小遣いもくれる。世の中には知らないでいた方がいいこともあるんだよ」

「お父さんは再婚したのね？」

「母が死んで四年後にね。まあ、男手ひとつで子供を育てるっていうような、けなげなタイプじゃないから」

「お父さんと新しい奥さんとのあいだには、子供はできなかったの？」

「うん。子供は僕一人しかいない。それもあって、彼女はほんとに自分の子供みたいにして僕を育ててくれた。そのことはずいぶん感謝してるよ。だから問題は僕自身にあるんだ」

「どんな問題？」

高橋は微笑んでマリを見る。「つまりさ、一度でも孤児になったものは、死ぬまで孤児なんだ。よく同じ夢を見る。僕は七歳で、また孤児になっている。ひとりぼっちで、頼れる大人はどこにもいない。時刻は夕方で、あたりは刻一刻と暗くなっていく。夜がすぐそこまで迫っている。いつも同じ夢だ。夢の中では、僕はいつも七歳に戻っている。そういうソフトウェアってさ、いったん汚染されると交換がきかなくなるんだね」

マリはただ黙っている。

「でもそういう面倒なことは、普段はなるたけ考えないようにしているんだ」と高橋は言う。「いちいち考えても仕方ないことだからさ。今日から明日へと、ごく普通に生きていくしかない」

「たくさん歩いて、ゆっくり水を飲めばいいのね」

「そうじゃなくて」と彼は言う。「ゆっくり歩いて、たくさん水を飲むんだ」

「とくにどっちでもいいみたいだけど」

高橋はそれについて頭の中で真剣に検討する。「そうだな、そうかもしれない」

二人はそれ以上何も語らない。黙って歩を運ぶ。白い息を吐きながらうす暗い階段を上り、ホテル「アルファヴィル」の前に出る。その派手な紫色のネオンが、マリには今では懐かしくさえ感じられる。

高橋はホテルの入り口で立ち止まり、いつになく真剣な目で正面からマリの顔を見る。「君にひとつ打ち明けておくことがあるんだ」

「何？」

「僕の考えてることは君と同じだよ」と彼は言う。「でも今日はだめなんだ。きれいな下着をつけてないから」

マリはあきれたように首を振る。「疲れるから、そういう意味のない冗談はやめてくれない」

高橋は笑う。「6時くらいにここに迎えに来るよ。もしよかったら一緒に朝飯でも食べよう。うまい卵焼きを出してくれる食堂が近くにあるんだ。ほかほかの柔らかな卵焼き……あのさ、卵焼きには何か食品として問題があると思う？　たとえば、遺伝子組み換えとか、組織的動物虐待とか、政治的に不適切とか……」

マリは少し考える。「政治的なことまではわかんないけど、鶏に問題があれば、当然、卵にも問題はあるんじゃないかしら」

「困ったな」と高橋は眉をひそめる。「僕の好きなものはいつも問題を抱えているみたいだ」

「卵焼きは私も好きだけど」

「じゃあどこかに妥協点を探そう」と高橋は言う。「とびっきりうまい卵焼きなんだよ、これが」

彼は手を振って一人で練習場に向かう。マリは帽子をかぶり直し、ホテルの玄関に入っていく。

14

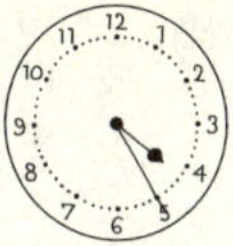

am

浅井エリの部屋。

テレビのスイッチが入っている。パジャマ姿のエリが、テレビの画面の内側から、こちらを見ている。前髪が額に落ちて、首を振ってそれを払う。彼女はガラスの向こう側に両方の手のひらをぴたりと押しつけ、こちらに向かって何かを語りかけている。ちょうど水族館の空っぽの水槽に迷い込んでしまった人が、分厚いガラス越しに、観客に窮状を説明しているみたいに。しかしその声は私たちの耳には届かない。彼女の声はこちら側の空気を震わせることができない。

エリにはまだどこかしら、感覚が麻痺したようなところが見受けられる。手足に思うように力が入らないみたいだ。あまりにも長い時間、深く眠りすぎたせいだろう。それでも彼女は、自分の置かれたその不可解な状況を少しでも理解しようと努めている。混乱し戸惑いながらも、その場所を成立させている論理や基準のようなものを、なんとか把握し、呑み込もうと、全力を尽くしている。その気持ちはガラス越しに伝わってくる。

エリは大声で叫んでいるわけではない。何かを激しく訴えかけているのでもない。大声で叫んだり、訴えたりすることに、もう疲れてしまったようだ。彼女の声はどうせこちらには届かないのだし、そのことは自分でもわかっている。

彼女が今やろうとしているのは、自分の目がそこで捉え、自分の感覚がそこで感じていることを、少しでも適切な、わかりやすい言葉に置き換えることだ。その言葉は半分は私たちに、半分は自分自身に向けて発せられることになる。もちろん簡単な仕事ではない。唇は緩慢に、とぎれとぎれにしか動かない。まるで外国語を話すときのように、すべてのセンテンスは短く、言葉と言葉のあいだに不均一な空白が生じる。空白がそこにあるはずの意味を引き延ばし、薄めていく。

こちら側にいる私たちは懸命に目をこらすのだけれど、浅井エリの唇がかたちづくる言葉と、彼女の唇がかたちづくる沈黙を見分けることすらむずかしい。リアリティーは砂時計の砂のように、彼女の細い十本の指のあいだからこぼれ落ちていく。そこでは時間は、彼女の味方をしてはいない。

彼女はやがて外に向かって語りかけることにも疲れ、あきらめたように口を閉じる。そこにある沈黙の上に、新たな沈黙が重ねられる。それから彼女はこぶしで内側から、ガラスを軽くとんとんと叩いてみる。できるだけのことを試してみようと。しかしその音もこちら側にはまったく届かない。

どうやらエリの目には、テレビのガラス越しにこちら側の情景が見えているらしい。視線の動きから、そのことが推測できる。彼女は（こちら側の）自分の部屋にあるものを、ひとつひとつ目で追っているようだ。机やベッドや本棚を。その部屋は彼女の場所であり、本来、彼女はそこに属しているべきなのだ。そこに置かれたベッドで安らかな眠りについているはずなのだ。しかし今の彼女には、その透明なガラスの壁を通り抜けて、こちら側に戻ってくることはできない。何らかの作用によって、あるいは何らかの意図によって、眠っているあいだにあちらの部屋に移され、厳しく幽閉されてしまったのだ。彼女のふたつの瞳は、静かな湖面に映った灰色の雲のような、孤独の色を浮かべている。

残念ながら（というべきだろう）浅井エリに対して、私たちにできることは何もない。繰り返すようだが、私たちはただの視点なのだ。どのようなかたちにおいても、状況に関与することはできない。

しかし——と私たちは思う——あの顔のない男はいったい誰だったのだろう？彼は浅井エリに何をしたのだろう？　そして彼はどこに行ってしまったのだろう？

その答えが与えられないまま、テレビの画面が突然落ち着きをなくし始める。電波がぐらりと乱れる。浅井エリの輪郭がいくらか滲み、細かく震える。彼女は自分の身体に異変が持ち上がっていることに気づき、振り返ってあたりを眺める。天井を見上げ、床を見下ろし、それから自分の揺らぐ両手を眺める。鮮明さを失っていくその輪郭を見つめる。不安げな表情が彼女の顔に浮かぶ。いったい何が起ころうとしているのだろう？　じいいいいっという例の耳障りな雑音が高まっていく。どこか遠い丘の上で、また強い風が吹き始めたらしい。二つの世界を結ぶ回線が、その接続点を激しく揺るがされている。それによって彼女の存在の輪郭もまた損われようとしている。実体の意味が侵食されつつある。

「逃げるんだ」と私たちは声に出して叫んでしまう。中立を保たなくてはならないというルールを思わず忘れてしまう。その声はもちろん彼女には届かない。しかしエリは自分で危険を察して、そこから逃げ出そうとする。急ぎ足でどこかに向かう。たぶんドアの方に。その姿はカメラの視野から消える。画像はさっきまでの明瞭さを急速に失い、ぐらりとゆがみ、かたちを崩す。ブラウン管の光が次第に薄らいでいく。それは小さな窓のかたちに四角く縮小し、最後には完全に消滅する。あらゆる情報は無となり、場所は撤収され、意味は解体され、世界は隔てられ、あとには感覚のない沈黙が残る。

べつの場所のべつの時計。壁にかかった丸形の電気時計だ。針は4時31分を指している。白川の家のキッチンである。白川はシャツのいちばん上のボタンをはずし、ネクタイをゆるめた姿で、食堂のテーブルの前に一人で座り、プレーン・

ヨーグルトをスプーンですくって食べている。皿にはとらず、プラスチックの容器にスプーンをつっこんで、そのまま口に運んでいる。

彼はキッチンに置かれた小型テレビを見ている。ヨーグルトの容器の隣にはリモコンがある。テレビの画面には海の底の映像が映っている。奇妙なかたちをした様々な深海の生き物。醜いもの、美しいもの。捕食するもの、されるもの。ハイテク機材を積んだ小型の研究用潜航艇。強力な投光器、精密なマジックハンド。『深海の生物たち』というドキュメンタリー番組だ。音声は消されている。

彼はヨーグルトを口に運びながら、無表情にテレビの画面の動きを追っている。しかし彼の頭はそれとは違うことを考えている。論理と作用の相関関係について思考を巡らせている。論理が作用を派生的にもたらすのか、あるいは作用が論理を結果的にもたらすのか？ 彼の目はテレビの画面を追っているが、本当は、画面の遥か奥にあるものを見ている。おそらくその1キロも2キロも向こうにある何かを。

彼は壁の時計に目をやる。針は4時33分を指している。秒針は滑らかに文字盤の上を回転している。世界は間断なく、連続的に進んでいく。論理と作用は隙間なく連動している。少なくとも今のところは。

15

am

テレビの画面はやはり『深海の生物たち』を映し出している。しかし白川の家のテレビではない。画面はずっと大きい。ホテル「アルファヴィル」の客室に置かれたテレビだ。それをマリとコオロギが二人で、見るともなく見ている。彼女たちはそれぞれ一人掛けの椅子に座っている。マリは眼鏡をかけている。スタジアム・ジャンパーとショルダーバッグは床に置かれている。コオロギはむずかしい顔つきで『深海の生物たち』を見ているが、そのうちに興味を失い、リモコンを使ってチャンネルを次々に換える。しかし早朝の時間なので、とくに面白い番組は見つからない。あきらめて電源を切る。

コオロギは言う。「どう、眠いでしょ？　横になって少しでも寝た方がええよ。カオルさんもさっきから仮眠室でしっかり寝てはるし」

「でも、今はまだそんなに眠くないんです」とマリは言う。

「そしたら、あったかいお茶かなんか飲む？」とコオロギは尋ねる。

「迷惑じゃなかったら」

「お茶くらいなんぼでもあるから、遠慮することない」

コオロギはティーバッグと魔法瓶のお湯を使って、日本茶を二人分いれる。

「コオロギさんは何時まで仕事なんですか？」

「コムギちゃんと組んで、夜の10時から朝の10時まで。泊まりのお客さんが出ていって、それを片づけたら終わり。途中で仮眠するけどね」

「ここの仕事は長いんですか？」

「そろそろ一年半かな。こういう仕事は、ひとところでそんなに長いこと続けるもんやないんやけどね」

マリは少し間をおいてから、質問する。「あの、ちょっと個人的なことを尋ねてもいいですか？」

「かまへんよ。まあ、答えにくいこともあるかもしれんけどね」

「気を悪くしたりしない？」

「しない、しない」

「コオロギさんは本名を捨てたって言ってましたよね？」

「うん。言うた」

「どうして本名を捨てたわけ？」

コオロギはティーバッグを取り出して灰皿に捨て、湯飲みをマリの前に置く。

「それはね、本名を使こてたらやばいからや。いろいろとわけがあってね。まあぶちまけた話、逃げてるわけや。ある方面から」

コオロギは自分のお茶を一口飲む。

「それでね、たぶんあんたは知らんやろけど、もし本気で何かから逃げようと思たらね、ラブホの従業員ゆうのはなかなか便利な仕事なんよ。そら、旅館の仲居さんの方がずっとお金になる。お客さんにチップもらえるからね。そやけど、そういう仕事をしたら、やっぱり人に顔を見せなあかんでしょ。話もせなあかんし。その点、ラブホの従業員はいちいち顔を見せんでもええやんか。暗いとこで、こそっと仕事してられる。寝泊まりするところも用意してもらえる。それに履歴書持ってこいとか、保証人を立ててくれとか、うるさいことを言われんでもすむしね。名前かて『ちょっと本名は言いにくいんですわ』言うたら、『それやったら、コオロギってことにしておくか』みたいなことで通るわけよ。人手が足りんからね。そやからこの世界、脛《すね》にキズを持ったみたいな人がけっこう働いてるんよ」

「だからひとつの場所に長くはいないわけですか？」

「そうそう。ひとつのところにぐずぐずしてたら、どうしても顔が割れてくるしなあ。そやから、次から次へと場所を変える。北海道から沖縄まで、ラブホのないところはないからね、仕事に不自由することはない。そやけどな、ここは居心地がええし、カオルさんもええ人やから、ついつい長居してしまうねん」

「長いあいだ逃げているんですか？」

「そやな。そろそろ3年になるかな」

「ずっとこういう仕事をしながら？」

「そう。あっちこっちでな」

「それで、コオロギさんが逃げている相手って、恐いんですか？」

「そら恐いよ。マジ恐い。でもこれ以上のことは言わせんといてね。私もなるべく口には出さんようにしてるから」

二人はしばらくのあいだ沈黙する。マリはお茶を飲み、コオロギは何も映っていないテレビの画面を眺めている。

「その前はどんなことをしていたんですか？」とマリは尋ねる。「つまり、そんな風に逃げまわるようになる前は？」

「その前は普通のＯＬやってたんよ。高校を出て、大阪でいちおう名前の知れた商事会社に入って、朝の九時から夕方の五時まで、制服着て働いてた。あんたくらいの年のときに。神戸の地震があったころの話や。今から思たら、なんか夢みたいやけどね。それから……ちょっとしたきっかけがあったんよ。ほんのちょっとしたこと。最初はそんなん大したもんやないと思ってた。ところがふと気がついたら、抜き差しならんとこまで来てた。前にも進めん、後ろにも引かれへん。それで仕事も捨てて、親も捨てて」

マリは黙ってコオロギの顔を見ている。

「えーと、ごめん、あんたなんちゅう名前やったかな？」とコオロギは尋ねる。

「マリです」

「マリちゃん。私らの立っている地面いうのはね、しっかりしてるように見えて、ちょっと何かがあったら、すとーんと下まで抜けてしまうもんやねん。それでいったん抜けてしもたら、もうおしまい、二度と元には戻れん。あとは、その下の方の薄暗い世界で一人で生きていくしかないねん」

コオロギは自分の言ったことについてあらためて考え、それから反省するように静かに首を振る。

「いやもちろん、それは私が人間として弱かったとゆうだけのことかもしれんね。弱いからこそ、成りゆきみたいなことにずるずると流されてしもたんや。どっかで気がついて、目を覚まして踏みとどまるべきやったのに、それができんかった。あんたに偉そうにお説教する資格はないんやけど……」

「もし見つかったら、どうなるんですか？　つまり、その、コオロギさんが追いかけられている人たちに」

「さあ、どうなるかなあ」とコオロギは言う。「ようわからんな。あんまり考えたくないけどね」

マリは黙っている。コオロギはテレビのリモコンを手に持って、ボタンをあれこれといじっている。しかしテレビをつけるわけではない。

「仕事が終わって布団の中に入るときにね、いつもこう思うんよ。このまま目が覚めんといてくれと。ずうっとこのまま寝かせといてくれと。そうしたら、もう何も考えんでええやんか。そやけどね、夢を見るんよ。いつも同じ夢。どこまでもどこまでも追いかけられて、とうとうみつかって捕まえられて、どっかに連れて行かれる。そして冷蔵庫みたいなもんに押し込められて、蓋を閉められてしまう。そこでぱっと目が覚める。着てるものはみんな汗でぐしょぐしょになってる。起きてるときも追いかけられ、寝てても夢で追いかけられ、心を休める暇もない。いくらかでもほっとできるのは、ここでお茶でも飲みながら、カオルさんとかコムギちゃんと罪のない世間話をしているときだけ……。そやけどな、こんな話をしたのは、マリちゃん、あんたが初めてなんよ。カオルさんにもしてないし、コムギちゃんにもしてない」

「何かから逃げてることを？」

「うん。もちろんうすうすは察してるとは思うけどね」

二人はしばらく黙り込む。

「私の言うたことは信じてくれる？」とコオロギは言う。

「信じますよ」

「ほんまに？」

「もちろん」

「そやかて、私がでたらめなこと言うてるかもしれんやないの。そんなことわからへんでしょう。初対面やし」

「だって、コオロギさんは嘘つくように見えないから」とマリは言う。

「そう言うてくれるのは嬉しいけど」とコオロギは言う。「ちょっと見てもらいたいものがあるねん」

コオロギはシャツの裾をまくって、背中を出す。背中には背骨をはさんで、刻印のようなものが左右対称に押されている。鳥の足跡を思わせる三本の斜めの線。焼きごてで押されたもののようだ。まわりの皮膚がひきつれている。激しい苦痛の痕跡だ。マリはそれを見て、思わず顔をしかめる。

「これはね、私がされたことの一部」とコオロギは言う。「しるしを押されているんや。まだほかにもある。ちょっと見せられんとこに。嘘やないねん、これ」

「ひどい」

「これはね、誰にも見せたことないんよ。でもマリちゃんには、私の言うことを信じてもらいたかったから」

「信じますよ」

「なんかね、あんたにやったら、打ち明けてもええような気がしたんよ。なんでか知らんけど……」

コオロギはシャツをおろす。そして気持ちに区切りをつけるように大きく息をつく。

「ねえ、コオロギさん」

「うん？」

「私もこの話は誰にもしたことがないんだけど、話していいですか？」

「ええよ。話しなさい」とコオロギは言う。

「私には姉がいるんです。二人姉妹で、年は私より二つ上です」

「うん」

「それで、姉は二ヵ月ほど前に『これからしばらくのあいだ眠る』と言いました。夕食のときに、家族の前でそう宣言したんです。そう言われても、誰も気にしませんでした。まだ七時だったけど、姉はいつも不規則な眠り方をしているし、とりたててびっくりするようなことでもなかったんです。私たちは『お休み』と言いました。姉は食事にはほとんど手をつけず、自分の部屋に行って、ベッドに入りました。それ以来ずっと眠り続けているんです」

「ずっと？」

「そう」とマリは言う。

コオロギは眉をひそめる。「ぜんぜん起きない？」

「ときどきは起きているようです」とマリは言う。「机に食事を置いておくと、それが減っているし、トイレにも行っているみたいだし、たまにだけどシャワーも浴びて、着替えもしています。だから生命を保つための最小限のことは、必要に応じて起きてやっているんです。本当に最小限のことだけを。でも私も家族も、姉が起きているところを目にしたことがありません。私たちが行くと、姉はいつもベッドで眠っています。嘘寝とかじゃなく、真剣に眠っているんです。寝息も立てず、みじろぎもせず、ほとんど死んだみたいに。大声で呼んでも、揺すっても目を覚ましません」

「それで……お医者さんには診てもらったの？」

「かかりつけのお医者さんがときどき様子を見に来てくれます。ホームドクターみたいな人だから、本格的なチェックまではできませんけど、でも医学的に見れば、姉にはとくに異常なところはないんです。熱もほぼ平熱です。脈拍も血圧もけっこう低めだけど、問題になるほどじゃありません。栄養もいちおう足りているから、点滴の必要もない。ただ熟睡しているだけ。もちろんコーマみたいなことだったら、それは大変な問題ですけど、ときどき目覚めて自分でいちおうの用が済ませられるのなら、ケアをする必要もありません。精神科医のところにも行きました。でもそういう症状には先例がないんです。自分で『これからしばらく眠る』と宣言して、そのまま眠っているわけで、心がそれほど眠りを求めているのなら、しばらくゆっくり眠らせてあげるしかないんじゃないかと言われました。治療をするにしても、とにかく目覚めて面談してからだって。だから、そのまま寝かせてあります」

「病院で詳しい検査をしたりもしない？」

「両親としては、できるだけ良い方に考えたいんです。姉は眠りたいだけ眠って、ある日何事もなかったみたいにぱっと目を覚まして、すべてがまた元通りになるんじゃないかって。そういう可能性にすがっています。でも私は耐えられないんです。というか、ときどき耐えられなくなるんです。理由もわからないまま、こんこんと二ヵ月も眠り続けている姉と、同じ屋根の下に暮らしているということに」

「だから家を出て、夜中の街をうろうろしているわけ？」

「うまく眠れないんです」とマリは言う。「眠ろうとすると、となりの部屋で眠り続けている姉のことが頭に浮かんでしまって。それがひどくなると、うちにいることができなくなってしまいます」

「二ヵ月か……それは長いなあ」

マリは黙ってうなずく。

コオロギは言う、「あのね、私にはもちろん詳しいことはようわからんけど、お姉さんはなんか大きな問題を、心の中に抱え込んでるんやないかな。自分一人だけの力ではどうにも解決のつかんようなことを。そやから、とにかく布団に入って眠り込んでしまいたい。とりあえずこの生身の世界を離れてしまいたい。その気持ちは私にもわからんでもない。というか、身につまされてよくわかるよ」

「コオロギさんには兄弟っていますか？」

「いるよ。弟が二人」

「親しい？」

「昔はね」とコオロギは言う。「今はようわからん。長いこと会ってないし」

「私の場合、正直言って、姉のことはよく知らないんです」とマリは言う。「彼女が毎日どんなことをして暮らしていたかとか、どんなことを考えていたかとか、どんな人とつきあっていたかとか。悩みがあったかどうかさえ知りません。冷たい言い方みたいだけど、同じ家に住んでいても、姉は姉で忙しかったし、私は私で忙しかったし、姉妹で心を開いてじっくり話し合うみたいなことはありませんでした。仲が悪いとか、そういうんじゃないんです。大きくなってからは喧嘩ひとつしたことありません。ただ私たちは、長いあいだそれぞれにずいぶん違う生活を送ってきたから……」

マリは何も映っていないテレビの画面を眺める。

コオロギは言う。「お姉さんってだいたいどんな人なの？　内面的なことがようわからんかったら、表面的なことだけでええから、マリちゃんがお姉さんについて知ってることを、私にざっと教えてくれる？」

「大学生です。お金持ちの女の子が行くミッション系の私立大学。21歳。いちおう社会学専攻だけど、社会学に興味があるとは思えません。世間体のためにどっかそれなりの大学に籍を置いて、要領よく試験をパスしているだけ。ときどき私がお小遣いをもらって、レポートの代筆をしています。あとは雑誌のモデルをしたり、たまにテレビの番組に出たり」

「テレビ？　どんな番組に？」

「たいしたものじゃないんです。たとえばにっこり微笑んで、クイズ番組の商品を手に持って見せたりするようなやつ。番組が終わってしまったから、今はもう出てないけど。それからいくつか小さなコマーシャルに出ました。引っ越し会社とか、そういうの」

「きっときれいな人なんやろね」

「みんなそう言います。私とはぜんぜん似てません」

「私もできることなら、一回でいいからそういう美人に生まれてみたかったね」

とコオロギは言って、短いため息をつく。

マリはちょっと迷ってから、打ち明けるように言う。「変な話だけど……、眠っている姉はほんとにきれいなんです。起きているときよりきれいかもしれない。まるで透き通っているみたいです。妹の私でさえどきっとするくらい」

「眠り姫みたい」

「そう」

「誰かのくちづけでぱっと目が覚める」とコオロギは言う。

「うまくいけば」とマリは言う。

二人はしばらく黙り込む。コオロギは相変わらずテレビのリモコンを手に持って、意味もなくいじっている。救急車のサイレンが遠くに聞こえる。

「なあ、マリちゃんは輪廻みたいなものは信じてる?」

マリは首を振る。「たぶん信じてないと思う」

「来世みたいなものはないと思うわけ？」

「そういうことについて深く考えたことないんです。でも来世があると考える理由がないみたいな気がする」

「死んでしもたら、あとは無しかないと」

「基本的にはそう思っています」とマリは言う。

「私はね、輪廻みたいなもんがあるはずやと思てるの。とゆうか、そういうもんがないとしたら、すごい恐い。無とゆうもんが、私には理解できないから。理解もできんし、想像もできん」

「無というのは絶対的に何もないということだから、とくに理解も想像もする必要ないんじゃないでしょうか」

「でもね、もし万が一やで、それが理解やら想像やらをしっかり要求する種類の無やったらどうするの？　マリちゃんかて死んだことないやろ。そんなん実際に死んでみなわからへんことかもしれんで」

「それはたしかにそうだけど……」

「そういうことを考え始めるとね、じわじわと恐くなってくるねん」とコオロギは言う。「考えてるだけで息が苦しくなって、身体がすくんでくる。それやったら輪廻を信じてた方がまだしも楽や。どんなひどいもんにこの次生まれ変わるとしても、少なくともその姿を具体的に想像することはできるやんか。たとえば馬になった自分とか、かたつむりになった自分とかね。この次はたぶんあかんとしても、そのまたネクスト・チャンスに賭けることかてできる」

「でも、私にはやはり、死んだらなんにもないという方が自然な気がします」とマリは言う。

「それはね、たぶんマリちゃんが精神的に強いからやないかな」

「私が？」

コオロギはうなずく。「あんたはしっかりと自分のものを持っているみたいに見える」

マリは首を振る。「そんなことないんです。私はしっかりなんかしてません。小さい頃、自分にどうしても自信が持てなくて、おどおどしていて、だから学校でもよくいじめられました。いじめの標的になりやすかったの。そういうときの感じって、自分の中にまだ残っています。しょっちゅう夢にも見ます」

「でも、時間をかけて努力して、そういうのをちょっとずつ克服してきたわけでしょ？　そのときの嫌な記憶を」

「ちょっとずつ」とマリは言う。そして肯く。「ちょっとずつ。そういうタイプなんです。努力の人」

「ひとりでこつこつとやる。森の鍛冶屋さんみたいに？」

「そう」

「でもね、それができるというの立派なことやと思うな」

「努力するということが？」

「努力できるということが」

「ほかにとくに取り柄がなくても？」

コオロギは何も言わずに微笑んでいる。

マリはコオロギの言ったことについて考える。そして言う。

「時間をかけて、自分の世界みたいなものを少しずつ作ってきたという思いはあります。そこに一人で入りこんでいると、ある程度ほっとした気持ちになれます。でも、そういう世界をわざわざ作らなくちゃならないっていうこと自体、私が傷つきやすい弱い人間だってことですよね？　そしてその世界だって、世間から見ればとるに足らない、ちっぽけな世界なんです。段ボール・ハウスみたいに、ちょっと強い風が吹いたら、どっかに飛ばされてしまいそうな……」

「恋人はいる？」とコオロギは質問する。

マリは短く首を振る。

コオロギは言う。「ひょっとしてまだバージン？」

マリは赤くなり、それから小さくうなずく。「そうです」

「いいよ、べつに恥ずかしいことやないから」

「はい」

「好きな人が出てこなかったの？」とコオロギは尋ねる。

「つきあった人はいます。でも……」

「ある程度まで行っても、最後まで行くほどは好きやなかった」

「うん」とマリは言う。「好奇心はもちろんあったけど、どうしてもそういう気持ちにはなれなかったから……よくわからないけど」

「べつにそれでええんよ。そういう気持ちになれんかったら、無理してやることないんやから。正直な話、私はこれまでにけっこうたくさんの男とセックスしてきたけど、考えてみたらね、それは結局のところ、恐かったからやねん。誰かに抱かれてないと恐かったし、求められたときにはっきりいやと言えなかったから。それだけ。そんな風にセックスしてもね、なんにもええことなんかなかった。生きていく意味みたいなもんが、ちびちびすり減っていっただけやった。私の言うてることわかるかな？」

「たぶん」

「そやからね、マリちゃんもちゃんとええ人を見つけたら、そのときは今よりもっと自分に自信が持てるようになると思うよ。中途半端なことはしたらあかん。世の中にはね、一人でしかできんこともあるし、二人でしかできんこともあるんよ。それをうまいこと組み合わせていくのが大事なんや」

マリはうなずく。

コオロギは小指で耳たぶを掻く。「私の場合は残念ながら既に手遅れやけどね」

「ねえ、コオロギさん」とマリはあらたまった声で言う。

「うん？」

「うまく逃げ切れるといいですね」

「ときどきね、自分の影と競走しているような気がすることがある」とコオロギは言う。「どれだけ速く走って逃げても、逃げ切れるわけがないねん。自分の影を振り切ることはできんもんな」

「でも、ほんとはそうじゃないかもしれない」とマリは言う。少し迷ってからつけ加える。「もしかしたら、それは自分の影なんかじゃなくて、ぜんぜんべつのものかもしれないでしょ」

コオロギはしばらく考えているが、やがてうなずく。「そやな。なんとかがんばってやりとおすしかない」

コオロギは腕時計に目をやり、大きくのびをしてから立ち上がる。

「さあて、そろそろ働いてくるわ。あんたもここでひと休みして、明るくなったら、早いとこ家に帰りなさい。わかった？」

「うん」

「お姉さんのことはきっとうまく行くよ。私にはそういう気がする。なんとなくやけど」

「ありがとう」とマリは言う。

「マリちゃんは、今のお姉さんとはあんまりしっくりといってないみたいやけどね、そうやないときもあったと思うんよ。あんたがお姉さんに対してほんとに親しい、ぴたっとした感じを持てた瞬間のことを思い出しなさい。今すぐには無理かもしれんけど、努力したらきっと思い出せるはずや。なんといっても家族というのは長いつきあいなわけやし、そういうことって、ひとつくらいはどっかであったはずやから」

「はい」とマリは言う。

「私はね、よく昔のことを考えるの。こうして日本中逃げ回るようになってからは、とくにね。それでね、一生懸命思い出そうと努力してると、いろんな記憶がけっこうありありとよみがえってくるもんやねん。ずっと長いあいだ忘れてたことが、なんかの拍子にぱっと思い出せたりするわけ。それはね、なかなか面白いんよ。人間の記憶ゆうのはほんまにけったいなもので、役にも立たんような、しようもないことを、引き出しにいっぱい詰め込んでいるものなんよ。現実的に必要な大事なことはかたっぱしから忘れていくのにね」

コオロギはテレビのリモコンをまだ手に持ったまま、そこに立っている。

彼女は言う、「それで思うんやけどね、人間ゆうのは、記憶を燃料にして生きていくものなんやないのかな。その記憶が現実的に大事なものかどうかなんて、生命の維持にとってはべつにどうでもええことみたい。ただの燃料やねん。新聞の広告ちらしやろうが、哲学書やろうが、エッチなグラビアやろうが、一万円札の束やろうが、火にくべるときはみんなただの紙きれでしょ。火の方は『おお、これはカントや』とか『これは読売新聞の夕刊か』とか『ええおっぱいしとるな』とか考えながら燃えてるわけやないよね。火にしてみたら、どれもただの紙切れに過ぎへん。それとおんなじなんや。大事な記憶も、それほど大事やない記憶も、ぜんぜん役に立たんような記憶も、みんな分け隔てなくただの燃料」

コオロギは一人で肯く。そして話を続ける。

「それでね、もしそういう燃料が私になかったとしたら、もし記憶の引き出しみたいなものが自分の中になかったとしたら、私はとうの昔にぽきんと二つに折れてたと思う。どっかしみったれたところで、膝を抱えてのたれ死にしていたと思う。大事なこともやらしょうもないこともやら、いろんな記憶を時に応じてぼちぼちと引き出していけるから、こんな悪夢みたいな生活を続けていても、それなりに生き続けていけるんよ。もうあかん、もうこれ以上やれんと思っても、なんとかそこを乗り越えていけるんよ」

マリは椅子に座ったまま、コオロギの顔を見上げている。

「そやから、マリちゃんもがんばって頭をひねって、いろんなことを思い出しなさい。お姉さんとのことを。それがきっと大事な燃料になるから。あんた自身にとっても、それからたぶんお姉さんにとっても」

マリは黙ってコオロギの顔を見ている。

コオロギはもう一度腕時計を見る。「もう行かんとな」

「ありがとう、いろいろ」とマリは言う。

コオロギは手を振って部屋から出ていく。

マリは一人になり、部屋の内部をあらためて見まわす。狭いラブホテルの一室だ。窓はない。ベネチアン・ブラインドを開いても、その奥には壁のくぼみがあるだけだ。ベッドだけが不釣り合いに大きい。枕元はわけのわからないスイッチでいっぱいで、まるで飛行機の操縦室みたいに見える。自動販売機の中に入っている生々しい格好のバイブレーターや、極端なかたちをしたカラフルな下着。それはマリにとっては見慣れない奇妙な光景だが、とくに敵対的な印象はない。マリはその風変りな部屋の中に一人でいて、むしろ護られているように感じる。ずいぶん久しぶりに、自分が安らかな気持ちになっていることに彼女は気づく。椅子に深く身を沈め、目を閉じる。そしてそのまま眠りの中に入っていく。短いけれど深い眠り。それは彼女が長いあいだ求めていたものだ。

16

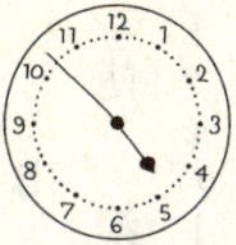

am

バンドが深夜練習のために使わせてもらっている、倉庫のような地下室。窓はない。天井は高く、配管が露出になっている。換気装置が貧弱なので、部屋の中で煙草を吸うことは禁止されている。夜もそろそろ終わりに近づき、正式な練習は既に終了し、今は自由な形式のジャム・セッションが進行中だ。部屋の中にいるのは全部で十人ばかり。そのうち女性が二人、一人はピアノを弾き、もう一人はソプラノサックスを手に休んでいる。あとは全員が男だ。

電気ピアノとウッド・ベースとドラムズのトリオをバックに、高橋が長いトロンボーンのソロを吹いている。ソニー・ロリンズの『ソニームーン・フォア・トゥー』。それほど速くないテンポのブルース。悪くない演奏だ。テクニックよりは、フレーズの積み重ね方、話の運び方で音楽を聴かせる。そこには人柄のようなものが出ているのかもしれない。彼は目を閉じて、音楽の中に浸っている。テナーサックスとアルトサックスとトランペットが、ときどき背後で簡単なリフを入れる。参加していないものは演奏を聴きながら、ポットのコーヒーを飲んだり、楽譜をチェックしたり、楽器の手入れをしたりしている。ときどきソロの合間に声援の声をかけたりもする。

むき出しの壁に囲まれて音の反響が大きいので、ドラムはほとんどブラシだけを使って演奏している。長い板とパイプ椅子を組み合わせてこしらえた急造のテーブルの上には、テークアウトのピザの箱、コーヒーを入れたポット、紙コップ、そんなものがちらばっている。楽譜や、小型のテープレコーダーや、サキソフォンのリードなんかもある。暖房がないも同然なので、みんなコートやジャンパーを着たまま演奏をしている。休憩をとっているメンバーの中には、マフラーを首に巻き、手袋をつけているものもいる。なかなか不思議な光景だ。高橋の長いソロが終わり、ベースが1コーラスのソロをとる。それが終わったところで4ホーンのテーマの合奏になる。

曲が終わると十分の休憩になる。長い練習のあとで、さすがに疲れが出てきたのだろう、誰もがいつもよりいくぶん寡黙になっている。それぞれに身体をストレッチしたり、温かい飲み物を飲んだり、ビスケットのようなものを食べたり、外に出て煙草を一服したりしながら、次の曲にかかる準備をしている。ピアノを弾いている髪の長い女の子だけは休憩時間のあいだもずっと楽器の前に座って、いくつかのコード進行を試している。高橋はパイプ椅子に腰をおろして楽譜を揃え、トロンボーンを分解し、たまった唾液を落とし、布で簡単に拭いてからケースにしまい始める。どうやら次の演奏に参加するつもりはないようだ。

ベースを弾いていた背の高い男がやってきて、高橋の肩をとんと叩く。「よう、今のソロ、よかったね。しみじみしていたよ」

「ありがとう」と高橋は言う。

「高橋さん、今日はもうこれでおしまいにするの？」とトランペットを吹いていた髪の長い男が声をかける。

「うん、ちょっと用事があるからさ」と高橋は言う。「後かたづけとか、悪いけど頼むな」

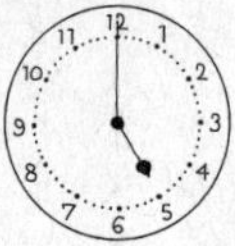

白川の家のキッチン。時報が鳴り、午前5時のNHKニュースが始まる。アナウンサーが、正面のテレビ・カメラに向かって律儀にニュースを読み上げている。白川は食堂のテーブルの前に座り、小さな音量でテレビをつけている。聞こえるか聞こえないかというくらいの音だ。ネクタイははずされて椅子の背中にかけられ、シャツの袖は肘のところまでまくりあげられている。ヨーグルトの容器は空になっている。とくにニュースが見たいわけでもない。興味を惹かれるニュースなんてひとつもない。それは最初からわかっている。彼はただ、うまく眠れないのだ。

彼はテーブルの上で、右手を何度かゆっくりと開閉する。そこにあるのはただの痛みではなく、記憶を含んだ痛みである。冷蔵庫からペリエの緑色の瓶を出し、手の甲にあてて冷やす。それから瓶のふたをねじって開け、グラスに注いで飲む。眼鏡をはずし、目のまわりを念入りにマッサージする。しかし眠気は訪れない。身体はたしかな疲労を訴えているのだが、頭の中に、彼を眠らせまいとするものがある。何かがつっかえているのだ。その何かをうまくやり過ごすことができない。白川はあきらめてまた眼鏡をかけ、テレビの画面に目をやる。鉄鋼の輸出ダンピング問題。急激な円高の是正についての政府の対策。母親が二人の幼児を道連れに自殺した。車の中にガソリンをまいて火をつけた。丸焦げになった自動車の映像。まだ煙が立っている。街ではそろそろクリスマスの商戦が始まっている。

夜は終わりに近づいているが、彼にとっての夜は簡単には終わりそうにない。ほどなく家族が起き出してくるだろう。どうしてもその前に眠ってしまいたいのだが。

ホテル「アルファヴィル」の一室。マリが一人がけの椅子に深く身を沈めて、仮眠をとっている。低いガラス・テーブルの上に、白いソックスをはいたふたつの足が載せられている。ほっとしたような寝顔。テーブルの上には半分あたりまで読まれた分厚い本が伏せてある。天井の明かりはついたままだ。しかしマリには部屋の明るさは気にならないようだ。テレビはスイッチを切られ、沈黙を守っている。きれいにメイクされたベッド。天井のエアコンの単調なうなりのほかには、どのような物音も聞こえない。

am

浅井エリの部屋。

浅井エリはいつの間にか、こちら側にいる。自分の部屋の自分のベッドに戻って、そこで眠っている。顔を天井に向け、みじろぎもしない。寝息さえ聞こえない。それは最初にこの部屋にやってきたとき、私たちが目にしたのと同じ情景だ。重みのある沈黙と、おそろしく濃密な眠り。波ひとつない、鏡のような思惟の水面。そこに彼女は仰向けに浮かんでいる。部屋の中に乱れはいっさい見受けられない。テレビは冷たく消えて、月の裏側に戻っている。彼女はあの謎の部屋からうまく脱出することができたのだろうか？　ドアはうまく開いたのだろうか？

誰も疑問には答えてくれない。その疑問符は手応えもなく、夜の最後の闇と、にべもない沈黙の中に吸い込まれてしまう。かろうじて事実としてわかるのは、浅井エリがこの部屋の、自分のベッドに戻ってきたということだけだ。私たちが目にする限り、なんとか無事に、輪郭を損われることもなく、彼女はこちら側に帰還することができたのだ。きっと最後の瞬間に、ドアの外に逃げ出すことができたのだろう。あるいはうまくべつの出口を見つけることができたのだろう。

いずれにせよ、夜のうちにその部屋の中で起こった一連の奇妙な出来事は、もう完全に終結してしまったように見える。ひととおりの循環が成し遂げられ、異変は残らず回収され、困惑には覆いがかけられ、ものごとは元通りの状態に復したように見える。私たちのまわりで原因と結果は手を結び、総合と解体は均衡を保っている。結局のところ、すべては手の届かない、深い裂け目のような場所で繰り広げられていたことなのだ。真夜中から空が白むまでの時間、そのような場所がどこかにこっそりと暗黒の入り口を開く。そこは私たちの原理が何ひとつ効力を持たない場所だ。いつどこでその深淵が人を呑み込んでいくのか、いつどこで吐き出してくれるのか、誰にも予見することはできない。

エリは今ではいささかの迷いもなく、端正にベッドの中で眠り続けている。彼女の黒い髪は、エレガントな扇となって、枕の上に無言の意味を広げている。朝が近づいていることが気配として感じられる。夜の闇のいちばん深い部分は既に過ぎ去ってしまったのだ。

でも本当にそうだろうか？

am

「セブンイレブン」の店内。高橋はトロンボーンのケースを肩にかつぎ、真剣な目つきで食料品を選んでいる。アパートの部屋に戻って眠り、目を覚ましたときに食べるためのものだ。店内にはほかに客の姿はない。天井のスピーカーからはスガシカオの『バクダン・ジュース』が流れている。彼はプラスチックの容器に入ったツナサラダのサンドイッチを選び、それから牛乳のパックを手に取って、ほかのものと日付を見比べる。牛乳は彼の生活にとって大きな意味を持つ食品なのだ。どんな細かいこともおろそかにはできない。

ちょうどそのとき、チーズの棚に置かれていた携帯電話が鳴り始める。白川が少し前に置いていった電話だ。高橋は顔をしかめ、その電話をけげんそうに眺める。いったいどこの誰がこんなところに携帯電話を置き忘れていったんだろう？レジの方に目をやるが、店員の姿は見えない。電話のベルはいつまでも鳴りやまない。しかたなく彼はその小さな銀色の携帯電話を手に取り、通話スイッチを押す。

「もしもし」と高橋は言う。

「逃げ切れないよ」と男の声が出し抜けに言う。「逃げ切れない。どこまで逃げてもね、わたしたちはあんたをつかまえる」

印刷された文章をそのまま読みあげるような、平板なしゃべり方だ。感情というものが伝わってこない。相手が何の話をしているのか、当然ながら高橋にはさっぱり理解できない。

「ねえ、ちょっと待ってよ」と高橋は前よりも大きな声で言う。

しかし彼の言葉は、どうしても相手の耳に入らないようだ。電話をかけてきた男は抑揚のない声で一方的に話し続ける。留守番電話のテープにメッセージを吹き込むみたいに。

「わたしたちは、あんたの背中を叩くことになる。顔もわかっているんだ」

「ねえ、なんかそれって……」

男は言う。「いつかどこかであんたの背中を叩く人間がいたら、それはわたしたちだよ」

何を言えばいいのかわからず、高橋はそのまま黙っている。保冷ケースに長く置かれていた電話は、手の中でいやに冷たく感じられる。

「あんたは忘れるかもしれない。わたしたちは忘れない」

「だからさ、よくわかんないけど、人違いだって……」と高橋は言う。

「逃げ切れない」

電話がぷつんと切れる。回線が死ぬ。最後のメッセージが無人の波打ち際に置き去りにされる。高橋は手にした携帯電話をそのまま見つめている。男の口にする「わたしたち」というのがどのような人々のことなのか、本来その電話を受けるはずの人間がどこの誰なのか、見当もつかないけれど、男の声は後味の悪い、不条理な呪いのような残響を彼の耳に（耳たぶが変形した方の耳だ）残していく。手の中に、蛇を握ったあとのようなぬめぬめとした感触がある。

何らかの理由によって、誰かが複数の人間に追われているのだ、と高橋は想像する。電話をかけてきた男の断定的なしゃべり方からすれば、その誰かはたぶん逃げ切れないだろう。いつかどこかで、思いもかけないときに、後ろから背中を叩かれることになる。そのあとに何が起こるのか？

いずれにせよ、こっちには関係のないことだ、と高橋は自分に言い聞かせる。それはおそらく、都会の裏側で人知れずおこなわれている荒々しく、血なまぐさい行為のひとつなのだ。違う世界の、違う回線を通して伝えられるものごとなのだ。こっちは通りがかりの人間に過ぎない。コンビニの棚で鳴り続ける携帯電話を、親切心から手に取っただけだ。誰かが電話を置き忘れて、場所を確かめるために連絡してきたのだろうと思って。

高橋は携帯電話を折りたたんで、もとあった場所に戻す。カット・カマンベール・チーズの箱の隣りに。この携帯電話とはこれ以上関わりあいにならない方がいい。そして一刻も早くここを離れた方がいい。その危険な回線から少しでも遠ざかった方がいい。彼は足早にレジに行き、ポケットから小銭をひとつかみ引っぱり出して、サンドイッチと牛乳の会計をすませる。

am

公園のベンチに一人で座っている高橋。さっきの、猫のいた小さな公園だ。彼のほかには誰もいない。二つ並んだブランコ、地面を覆っている枯葉。空に浮かんだ月。コートのポケットから自分の携帯電話を取り出し、番号を押す。

マリのいるホテル「アルファヴィル」の部屋。電話のベルが鳴る。彼女は四度目か五度目のベルで目を覚ます。顔をしかめ、腕時計に目をやる。椅子から立ち上がって、受話器をとる。

「もしもし」とマリは不確かな声で言う。

「もしもし。僕だけど、眠ってた？」

「少し」とマリは言う。受話器を手で塞いで咳払いをする。「でもいいんだよ。椅子に座ってうとうとしていただけだから」

「よかったらこれから朝御飯を食べにいかないか？　さっき話してた卵焼きのおいしい食堂。卵焼きのほかにもおいしいものはあると思う」

「もう練習は終わったの？」とマリは尋ねる。でもそれはなんとなく自分の声には聞こえない。私は私であって、私ではない。

「終わったよ。僕としては腹ぺこだ。君は？」

「実を言うと、お腹はあまりすいてないの。それよりは家に帰りたい」

「いいよ。じゃあとにかく、君を駅まで送っていこう。もう始発電車は出ていると思うから」

「ここから駅までなら、一人で行けるよ」とマリは言う。

「できたら君ともう少し話がしたいんだ」と高橋は言う。「駅まで一緒に歩きながら話をしよう。もし迷惑じゃなければ」

「べつに迷惑じゃないけど」

「十分後にそこに迎えに行く。それでいい？」

「いいよ」とマリは答える。

高橋は電話を切って、折り畳んでポケットにしまう。ベンチから立ち上がり、ひとつ大きく伸びをして、それから空を見上げる。空はまだ暗い。さっきと同じ三日月が空に浮かんでいる。明け方近い都会の一角から見上げると、そんな大きな物体が無償で空に浮かんでいること自体、不思議に思える。

「逃げ切れない」と高橋は、その三日月を見上げながら声に出してみる。

その言葉の謎めいた響きは、ひとつの隠喩として彼の中に留まることになる。逃げ切れない。あんたは忘れるかもしれない、わたしたちは忘れない、と電話をかけてきた男は言う。言葉の意味について考えているうちに、そのメッセージはほかの誰かにではなく、彼個人に直接向けられたものであるように思えてくる。ひょっとして、あれは偶然に起こったことじゃないのかもしれない。携帯電話はあのコンビニの棚の上で静かに身をひそめ、高橋が前を通りかかるのを待ち受けていたのかもしれない。わたしたち、と高橋は思う。わたしたちって、いったい誰のことなんだ？　そして彼らはいったい何を忘れないんだろう？

高橋は楽器ケースとトートバッグを肩にかけて、のんびりした足どりで「アルファヴィル」に向かって通りを歩き始める。歩きながら、頰に伸びた髭を手のひらでさする。夜の最後の闇が、都会を薄皮のように包んでいる。ごみの回収車が路上に姿を見せ始めている。それとほぼ入れ違いに、都会のあちこちで一夜を過ごした人々が、駅に向かって歩を運び始める。流れを遡上《そじょう》する魚の群れのように、彼らは一様に始発電車を目指している。終夜の仕事をようやく終えた人々、徹夜で遊び疲れた若者たち——立場や資格こそ違え、彼らはおしなべて寡黙だ。飲み物の自動販売機の前でぴったりと身を寄せあっている若いカップルでさえ、今はもう語り合う言葉を持たない。二人は残っている身体の微かなぬくもりを、無言のうちに分け合っているだけだ。

新しい一日がすぐ近くまでやって来ているが、古い一日もまだ重い裾を引きずっている。海の水と川の水が河口で勢いを争うように、新しい時間と古い時間がせめぎ合い、入り混じる。自分の重心が今どちら側の世界にあるのか、高橋にもうまく見定めることができない。

17

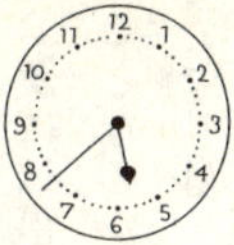

am

マリと高橋が並んで通りを歩いている。マリはショルダーバッグを肩にかけ、レッドソックスの帽子を深くかぶっている。眼鏡はかけていない。

「どう、眠くない？」と高橋は尋ねる。

マリは首を振る。「さっき少しうとうとしたから」

高橋は言う。「一度こんなふうに徹夜練習あけで、うちに帰るつもりで新宿から中央線に乗って、目が覚めたら山梨県だったな。山の中だよ。自慢じゃないけど、どこでもすぐに熟睡しちゃうたちなんだ」

マリは何かほかのことを考えているみたいに、黙っている。

「……ねえ、それでさっきの話の続きだけど。浅井エリのこと」と高橋は切り出す。「あのさ、もし話したくなければ、話さなくてもいいんだよ。僕はいちおう質問してるだけだから」

「うん」

「君のお姉さんはずっと眠っている。目覚めようとしない。君はたしかそう言った。そうだよね？」

「そう」

「僕には事情がよくわからないんだけど、君の言うのはつまり昏睡状態みたいなことなのかな？　意識不明になってるとか」

マリは少し口ごもる。「そういうんじゃないの。今のところ命にかかわるようなことでもないと思う。ただ……眠っているだけ」

「ただ眠っている？」と高橋は尋ねる。

「うん。ただ……」と言いかけて、マリはため息をつく。「ねえ、悪いけど、やっぱりまだうまく話せないみたい」

「いいよ。うまく話せないんなら、話すことはない」

「疲れているし、頭の中が整理できない。それに、自分の声が自分の声みたいに聞こえないの」

「いつかでいいよ。いつかべつのときに。今はその話はよそう」

「うん」とマリはほっとしたように言う。

二人はそれからしばらく何も話さない。ただ駅に向かって歩を運ぶ。高橋は歩きながら軽く口笛を吹く。

「いったい何時頃に空が明るくなるのかしら？」とマリは尋ねる。

高橋は腕時計に目をやる。「今の季節だと、そうだな、6時40分くらいじゃないかな。いちばん夜が長い季節だからね、あとしばらくは暗いよ」

「暗いのって、けっこう疲れるんだね」

「本来はみんな寝ていなくちゃいけない時間だからね」と高橋は言う。「人類が暗くなったあとでも平気で外に出るようになったのは、歴史的にみればつい最近のことだ。いったん日が暮れちゃったら、昔の人はみんなただ洞窟にこもって、自分の身を護っていなくちゃならなかった。僕らの体内時計はまだ、日が暮れたら眠るように設定されているんだ」

「昨日の夕方にあたりが暗くなってから、ずいぶん長い時間が経ったみたいな気がする」

「たぶん実際に長い時間が経ったんだよ」

大型の運送トラックがドラッグストアの前に停まって、運転手が運んできた荷物を半分開いたシャッターの中に搬入している。二人はその前を通り過ぎる。

「ねえ、また近いうちに君に会えるかな？」と高橋は言う。

「どうして？」

「どうして？」と彼は聞き返す。「また君と会って話をしたいからだよ。できればもう少しまともな時間に」

「それはつまり、デートみたいなことなの？」

「そう呼べるかもしれない」

「でも、私と会って、いったいどんなことを話すわけ？」

高橋は少し考える。「我々のあいだにどんな共通の話題があるか――君の尋ねているのはそういうことなのかな？」

「エリの話題をべつにして、ということだけど」

「そうだなあ、共通の話題と急に言われても、具体的には思いつけない。今のところ。でも一緒にいれば、いろいろと話すことはありそうな気がするんだ」

「私と話してもきっと面白くないよ」

「誰かに前にそう言われたことがあるの？　君と話していてもあまり面白くないんだけどって」

マリは首を振る。「とくにそんなことないけど」

「じゃあ、気にすることない」

「ときどきちょっと暗いって言われることはあるけど」とマリは正直に言う。

高橋は楽器ケースを右の肩から左の肩に移し替える。そして言う。

「ねえ、僕らの人生は、明るいか暗いかだけで単純に分けられているわけじゃないんだ。そのあいだには陰影という中間地帯がある。その陰影の段階を認識し、理解するのが、健全な知性だ。そして健全な知性を獲得するには、それなりの時間と労力が必要とされる。君はべつに性格的に暗いわけじゃないと思う」

マリは高橋が言ったことについて考える。「でも臆病だよ」

「いや、違うね。臆病な女の子はこんな風に、一人で夜の街に出てきたりしない。君はここで、何かをみつけたかったんだ。そうだろ？」

「ここって？」とマリは訊く。

「いつもとは違う場所で、自分のテリトリーを外れた領域で、ということ」

「そして私は何かをみつけたのかしら？　ここで？」

高橋は微笑んで、マリの顔を見る。

「少なくとも僕は、もう一度君と会って話したいと思う。そう望んでいる」

マリは高橋の顔を見る。二人は目を合わせる。

「でも、それはむずかしいかもしれない」と彼女は言う。

「むずかしい？」

「うん」

「つまり、君と僕はもう二度と会えないかもしれないということ？」

「現実的に」とマリは言う。

「誰かつきあっている人がいるの？」

「今はとくにいない」

「じゃあ、僕のことがあまり気に入らない？」

マリは首を振る。「そういうんじゃないの。つまり、私は来週の月曜にはもう日本にいないから。北京の大学に、交換留学生みたいなかたちで、とりあえず来年の六月まで行くことになっているの」

「なるほど」と高橋は感心したように言う。「君は優秀な学生なんだ」

「だめもとで試しに申し込んでいたら、選ばれたの。まだ一年生だからまず無理だろうと思っていたんだけど、ちょっととくべつなプログラムだったみたいで」

「それはよかった。おめでとう」

「それで、出発まであと何日かしかなくて、その準備であれこれ忙しいと思うし」

「もちろん」

「もちろん、何？」

「君は北京に出発するための準備があって、あれこれ忙しいし、僕と会っているような暇はない。もちろん」と高橋は言う。「それはよく理解できる。いいよ、かまわない。僕は待てるから」

「でも日本に帰ってくるのは、半年以上先のことだよ」

「僕はこれでけっこう気が長いんだ。時間をつぶすのもわりに得意だ。よかったら向こうの住所を教えてくれないか。手紙を書きたいから」

「それはいいけど」

「僕が手紙を出したら、君も返事を書いてくれる？」

「うん」とマリは言う。

「そして来年の夏に君が日本に戻ってきたら、デートだかなんだかをしよう。動物園やら植物園やら水族館やらに行って、それからできるだけ政治的に正しい、おいしい卵焼きを食べよう」

マリはもう一度高橋の顔を見る。何かを確かめるように、まっすぐ相手の目を見る。

「でも、どうしてあなたは私に興味を持つわけ？」

「さあ、どうしてだろうな？　今のところ僕にもそれはうまく説明できない。でも、君とこれから何度か会って話をしているうちに、フランシス・レイの音楽みたいなのがどこからともなく流れてきて、どうして僕が君に関心を抱くのか、具体的な理由をずらずらと並べられるかもしれない。雪だってうまく積もってくれるかもしれない」

駅に着くと、マリはポケットから小さな赤い手帳を出し、北京の住所を書いて、そのページを破り、高橋に手渡す。高橋はそれを二つに折り畳み、自分の札入れの中に入れる。

「ありがとう。長い手紙を書くよ」と彼は言う。

マリは閉まった自動改札機の前で立ち止まり、何かを考えている。思っていることを話していいものかどうか、迷っている。

「エリのことで、さっき思い出したことがあるの」と彼女はやっと心を決めて言う。「長いあいだ忘れてしまっていたんだけど、あなたから電話がかかってきたあと、ホテルの椅子に座ってぼんやりしているときに、急に記憶がよみがえったの。出し抜けに。今ここで話しちゃっていいかな？」

「もちろん」

「はっきり思い出せているうちに、誰かに話しておきたいの」とマリは言う。

「そうしないと、細かいところが消えてしまうんじゃないかという気がするから」

高橋は耳を澄ませているというしるしに、耳に手をやる。

マリは話し始める。「私が幼稚園のときに、エリと二人で、うちのマンションのエレベーターの中に閉じこめられたことがあるの。たぶん地震があったんだと思う。エレベーターが階の途中でぐらっと大きく揺れて、それから停まってしまった。同時に明かりも消えて真っ暗になった。本当の真っ暗よ。自分の手だって見えない。そしてそのエレベーターには、私たち二人以外には誰も乗っていなかったわけ。私はパニックでがちがちに固まってしまった。まるで生きたまま化石になったみたいに。指一本動かすことができない。呼吸もうまくできないし、声も出ない。エリが私の名前を呼ぶんだけど、それに返事もできないの。頭の真ん中が痺れたみたいにぼおっとしているわけ。エリの声も何かの隙間から聞こえてくるみたいで……」

マリは少し目を閉じて、暗闇を頭の中に再現する。

彼女はまた話し続ける。「その暗闇がどれくらいの時間続いたか、覚えていない。すごく長い時間みたいに思えるんだけど、実際にはそんなに長くじゃなかったかもしれない。でも五分だろうが二十分だろうが、具体的な長さは問題じゃないの。とにかくそのあいだ、エリは真っ暗な中で、私を抱きしめていてくれた。それも普通の抱きしめ方じゃないのよ。二人の身体が溶け合ってひとつになってしまうくらい、ぎゅっと強く。彼女はいっときもその力を緩めなかった。いったんべつべつになったら、もう二度とこの世界で私たちが巡り会うことはないんだ、みたいな感じで」

高橋は何も言わず、自動改札機にもたれるようにして、マリの話の続きを待っている。マリはスタジアム・ジャンパーのポケットから右手を出して、それをしばらく眺める。顔を上げて話を続ける。

「もちろんエリだって、本当はすごく恐かったと思うんだ。私と同じくらい怯えていたんじゃないかと思う。大声で叫んだり泣いたりしたかったはずよ。だってまだ小学校の二年生だったんだものね。でもエリは冷静だった。彼女はたぶんそのとき、強くなろうと決めたのね。私のために、年上である自分が強くならなくちゃいけないと決心したのよ。『大丈夫。恐くないからね。私が一緒にいるし、誰かがすぐに助けに来てくれるからね』みたいなことを、私の耳元でずっと囁きつづけてくれた。とてもしっかりと落ち着いた声だった。まるで大人みたいに。どんな歌だったのかよく覚えてないんだけど、歌まで歌ってくれた。私も一緒に歌おうと思ったんだけど、歌えなかった。怖くて、声が出なかったの。でもエリは一人で、私のために歌ってくれた。そのとき私は、エリの両腕の中にそっくり自分を預けることができた。私たちは暗闇の中で隙間なくひとつになることができた。心臓の鼓動まで、私たちは分け合うことができた。それから突然明かりがついて、エレベーターががくんと揺れて、動き出した」

マリはそこで少し間を置く。記憶をたどり、言葉を探す。

「でもそれが最後だった。それが……なんていうか、私がエリに対していちばん近くまで行くことができた瞬間だった。私たちが心を重ねあわせ、隔てなくひとつになれた瞬間。それからエリと私はどんどん遠く離れていったような気がする。離ればなれになって、そのうちにべつべつの世界で暮らすようになった。あのエレベーターの暗闇の中で感じた一体感というか、強い心の絆のようなものは、私たちのあいだに二度と戻ってこなかった。何がいけなかったのか、私にはわからない。でもとにかく、私たちはもうもとには戻れなくなってしまった」

高橋は手をのばして、マリの手を取る。マリは少しびくっとするけれど、手を引っ込めることはしない。高橋はいつまでも彼女の手をやさしく静かに握っている。小さな柔らかい手だ。

「ほんとうは行きたくなんかないの」とマリは言う。

「中国に？」

「そう」

「どうして行きたくないの？」

「怖いから」

「怖くて当たり前だよ。一人でよく知らない、遠いところに行くんだもの」と高橋は言う。

「うん」

「でも君なら大丈夫だよ。うまくやれる。僕もここで帰りを待ってるし」

マリはうなずく。

高橋は言う、「君はとてもきれいだよ。そのことは知ってた？」

マリは顔を上げて高橋の顔を見る。それから手をひっこめてスタジアム・ジャンパーのポケットに入れる。足元に目をやる。黄色いスニーカーが汚れていないことをたしかめる。

「ありがとう。でも今はうちに帰りたい」

「手紙を書くよ」と高橋は言う。「昔の小説に出てくるような、やたら長いやつを」

「うん」とマリは言う。

彼女は改札の中に入って、ホームを先の方まで歩き、停車している急行電車の中に消えていく。高橋はその後ろ姿を見送っている。やがて出発のベルが鳴り、ドアが閉まり、電車はホームから出て行く。電車が見えなくなってしまうと、彼は床に置いていた楽器ケースを持って肩に掛け、軽く口笛を吹きながら、ＪＲの駅に向かって歩いていく。駅の構内を行き来する人の姿が少しずつ増えてくる。

18

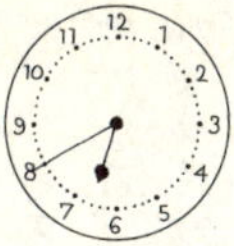

am

浅井エリの部屋。

窓の外は明るさを増している。浅井エリがベッドに寝ている。表情も姿勢も、さっき目にしたときと変わりない。厚い眠りの衣が彼女を包んでいる。

マリが部屋に入ってくる。家族に気づかれないように静かにドアを開け、中に入り、静かにドアを閉める。部屋の中の沈黙と冷ややかさが、マリをいくらか緊張させる。彼女はドアの前に立って、姉の部屋の中を用心深く見まわす。いつもと同じ部屋であることをまず確認する。そこに異変がなく、見知らぬものが隅に身を潜めたりしていないことを抜かりなく点検する。それからベッドのそばに寄って、熟睡している姉の顔を見下ろす。手をのばしてその額にそっとあて、小さな声で名前を呼ぶ。しかし反応はまったくない。いつもと同じように。マリは机の前の回転椅子を枕元に引いてきて、腰を下ろす。前かがみになり、姉の顔をすぐ近くから注意深く観察する。そこに隠された暗号の意味を探るように。

五分ばかり時間が経過する。マリは椅子から立ち上がってレッドソックスの帽子を脱ぎ、くしゃくしゃになった髪を整えてから、腕時計をはずす。それらを姉の机の上に並べて置く。スタジアム・ジャンパーを脱ぎ、フードつきのパーカを脱ぐ。その下に着ていた格子柄のフランネルのシャツを脱いで、白いTシャツだけになる。分厚いスポーツ・ソックスを脱ぎ、ブルージーンズを脱ぐ。そして姉のベッドの中にそっともぐり込む。布団の中に身体を馴染ませてから、仰向けに眠っている姉の身体に細い腕をまわす。頬を姉の胸に軽く押し当て、そのままじっとしている。姉の心臓の鼓動の一音一音を理解しようと、耳を澄ませる。耳を澄ませながら、マリの目は穏やかに閉じられている。やがてその閉じた目から、何の予告もなく、涙がこぼれ出てくる。とても自然な、大きな粒の涙だ。その涙は頬をつたい、下に落ちて姉のパジャマを湿らせる。それからまた一粒、涙が頬をこぼれ落ちる。

マリはベッドに身を起こし、指先で頬の涙を拭う。何かに対して——それが何なのか具体的にはわからないのだけれど——ひどく申し訳ないような気持ちになる。自分が取り返しのつかないことをしてしまった、という気がする。それは前後の筋道がつかめない、ひどく唐突な感情だ。でも切実な感情だ。涙はまだこぼれ続けている。マリは手のひらに、落ちてくる涙を受けとめる。落ちたばかりの涙は、血液のように温かい。体内のぬくもりをまだ残している。マリはふと思う、私はここと違う場所にいることだってできたのだ。そしてエリだって、ここことは違う場所にいることはできたのだ。

マリはもう一度念のために部屋の中を見まわし、それからエリの顔を見下ろす。美しい寝顔——ほんとうにきれいだ。そのままガラスケースに収めておきたくなるくらい。意識はたまたまそこから失われている。どこかに姿を隠し、身をひそめている。でもそれは地底の水流として、どこか目に見えない場所を流れているはずだ。マリはそのかすかな響きを聴き取ることができる。彼女は耳を澄ませる。ここからそんなに遠くない場所だ。そしてその流れは、どこかできっと私自身の流れと混じり合っているはずだ。マリはそう感じる。私たちは姉妹なのだから。

彼女は身をかがめて、エリの唇に短く口づけをする。頭を上げ、姉の顔を再び見下ろす。心の中に時間を通過させる。もう一度口づけをする。今度はもっと長く。もっと柔らかく。なんだか自分自身と口づけしているみたいだ、とマリは感じる。マリとエリ、一字違い。彼女は微笑む。そして姉の身体のわきで、ほっとしたように身を丸めて眠る。姉と少しでも密着して、身体のぬくもりを伝え合おうとする。生命の記号を交換し合おうとする。

エリ、帰ってきて、と彼女は姉の耳元で囁く。お願い、と彼女は言う。それから目を閉じ、身体の力を抜く。目を閉じると、柔らかな大波のように、眠りが沖合からやってきて、彼女を包み込む。涙はもうとまっている。

窓の外は急速に明るさを増している。窓に下ろされたシェードの隙間から、鮮やかな光の筋が部屋に入り込んでくる。古い時間性が効力を失い、背後に過ぎ去ろうとしている。多くの人々はまだ古い言葉を口ごもり続けている。しかし姿を見せたばかりの新しい太陽の光の中で、言葉の意味あいが急速に移行し、更新されようとしている。たとえその新しい意味あいのおおかたが、当日の夕暮れまでしか続かないかりそめのものだとしても、私たちはそれらとともに時を送り、歩を進めていくことになる。

部屋の隅で、テレビの画面が一瞬ちらりと光ったように見える。ブラウン管に光源が浮かび上がりそうになる。そこで何かが動き始める気配がある。画像らしきもののわずかな揺らぎがある。回線が再びどこかとつながろうとしているのだろうか。私たちは息をのみ、その推移を見守る。しかし次の瞬間、画面にはもう何も映ってはいない。そこにあるのはただの空白だ。

私たちが目にしたと思ったものは、ただの目の錯覚だったかもしれない。窓から差し込む光が何かの加減で揺らいで、その動きがガラスの面に反射しただけなのかもしれない。部屋は相変わらず沈黙に支配されている。しかしその深みと重みは、前に比べて明らかに減衰し、後退している。今では小鳥の声が耳に届く。もっと聴覚を研ぎ澄ませば、通りを行く自転車の音や、人々の語り合う声や、ラジオの天気予報も聞こえるかもしれない。トーストが焦げていく音だって聞こえるかもしれない。ふんだんな朝の光が世界の隅々を無償で洗っていく。若い姉妹がひとつの小さなベッドの中で、身体を寄せ合い、密やかに眠っている。私たちのほかには、たぶん誰もそのことを知らない。

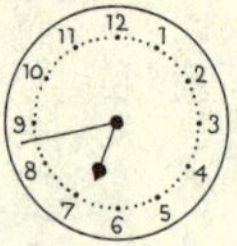

am

「セブンイレブン」の店内。店員がチェックリストを手に、通路にかがんで在庫調べをしている。日本語のヒップホップ音楽がかかっている。若い男の店員。さっきレジで高橋から代金を受け取った店員だ。茶髪で痩せている。夜勤あけで疲れているらしく、何度も大きなあくびをする。音楽に混じって、どこかで携帯電話のベルが鳴っているのが聞こえる。立ち上がってあたりを見回す。通路をひとつひとつのぞいてみる。客の姿はない。店の中には彼のほかには誰もいない。しかし携帯電話のベルはいつまでも執拗に鳴り続けている。妙な話だ。あちこち探しまわった末に、ようやく乳製品の保冷ケースの棚にそれをみつける。放置された携帯電話。

まったくもう、誰がこんなところにケイタイを置き忘れたりするんだよ。頭がおかしいんじゃねえか。彼は舌打ちし、うんざりした顔でその冷ややかな機械を手に取り、通話スイッチを押して耳にあてる。

「もしもーし」と彼は言う。

「うまくやったと思っているかもしれないね」と男が抑揚を欠いた声で告げる。

「もしもし！」と店員はどなる。

「でもね、逃げられない。どこまで逃げても逃げられない」、暗示的な短い沈黙があり、電話は切れる。

am

私たちはひとつの純粋な視点となって、街の上空にいる。目にしているのは、目覚めつつある巨大な都市の情景だ。様々な色に塗られた通勤列車が思い思いの方向に動き、多くの人々をひとつの場所からべつの場所へと運んでいる。運ばれている彼らは、一人一人違った顔と精神を持つ人間であるのと同時に、集合体の名もなき部分だ。ひとつの総体であるのと同時に、ただの部品だ。彼らはそのような二義性を巧妙に、便宜的に使い分けながら、的確に素早く朝の儀式をこなしていく。歯を磨き、髭を剃り、ネクタイを選び、口紅をつける。テレビのニュースをチェックし、家族と言葉を交わし、食事をし、排便をする。

日の出とともにカラスたちが、食料を漁るために、群れを成して街にやってくる。彼らの真っ黒な油っぽい翼が、朝日に光る。二義性はカラスたちにとって、人間たちにとってほどは重要な問題ではない。個体維持に必要な栄養分の確保、それが彼らにとっての最重要事項だ。ゴミの回収車はまだすべてのゴミを集めきってはいない。なにしろ巨大な都市であり、それが生み出すのは膨大な量のゴミなのだ。カラスたちは騒々しい鳴き声をあげながら、急降下爆撃機のように街の隅々に舞い降りていく。

新しい太陽が、新しい光を街に注いでいる。高層ビルのガラスがまぶしく輝いている。空には雲はない。今のところひとかけらの雲も見あたらない。地平線に沿ってスモッグの霞がたなびいているのが見えるだけだ。三日月は白い沈黙の岩塊となり、遠く失われたメッセージとなって、西の空に浮かんでいる。報道ヘリコプターが神経質な羽虫のように空を舞い、道路の混雑状況の画像を放送局に送っている。首都高速道路では、料金所の手前ですでに、都内に入ろうとする車の渋滞が始まっている。ビルのあいだにはさまれた多くの街路は、まだ冷ややかな影の中にある。そこには昨夜の記憶の多くが、手つかずのまま残っている。

am

私たちの視点は都心の上空を離れ、閑静な郊外住宅地の上に移動している。眼下に、庭のついた二階建ての家が並んでいる。上から見ると、どの家もほぼ同じように見える。同じような年収と、同じような家族構成。濃紺のボルボの新車が、朝日を誇らしげに反射させている。芝生の庭に設置されたゴルフの練習用ネット。配達されたばかりの朝刊。大型犬を散歩させている人々。台所の窓から聞こえる、食事の仕度をする音。人々が呼びかけあう声。ここでも真新しい一日が始まろうとしている。それはかわりばえのしない一日になるかもしれないし、いろんな意味で記憶に残るめざましい一日になるかもしれない。しかしどちらにせよ、誰にとっても、今のところまだ何も書き込まれていない一枚の白紙だ。

どれも同じように見える住宅の中から一軒を選び、そこに向かってまっすぐ下降していく。クリーム色のシェードが下ろされた二階のガラス窓を通り抜け、浅井エリの部屋の中に音もなく入っていく。

マリはベッドの中で、姉の身体に身を寄せて眠っている。小さな寝息が聞こえる。私たちが見る限り、それは心安らかな眠りであるようだ。身体があたたまったのか、頬はさっきよりいくぶん赤みを増している。前髪が目の上にかかっている。夢でも見ているのだろうか、それとも記憶の名残りなのだろうか、口元にはほほえみの影が浮かんでいる。マリは長い闇の時刻をくぐり抜け、そこで出会った夜の人々と多くの言葉を交わし、今ようやく自分の場所に戻ってきたのだ。彼女を脅かすものは、少なくとも今のところ、まわりには存在しない。彼女は19歳で、屋根と壁によって護られている。芝生の庭と、防犯アラームと、ワックスをかけられたばかりのステーション・ワゴンと、近所を散歩する賢い大型犬たちによって護られている。窓から差し込む朝日が彼女を優しく包み、温めている。マリの左手は、枕に広がったエリの黒い髪の上に置かれている。その指は自然なかたちに柔らかく開き、わずかに折り曲げられている。

エリについて言えば、その姿勢にも顔の表情にもやはり、変化らしきものは見受けられない。妹がやってきて布団の中にもぐり込み、となりで眠っていることにも、まったく気づいていないようだ。

しかしやがて、エリの小さな唇が、何かに反応したように微かに動く。一瞬の、一秒の十分の一くらいの、素早い震えだ。しかし研ぎすまされた純粋な視点としての私たちが、その動きを見逃すことはない。この瞬間的な肉体の信号を、私たちはしっかりと目にとめる。今の震えは、来るべき何かのささやかな胎動であるのかもしれない。あるいはささやかな胎動の、そのまたささやかな予兆であるのかもしれない。しかしいずれにせよ、意識の微かな隙間を抜けて、何かがこちら側にしるしを送ろうとしている。そういうたしかな印象を受ける。

私たちはその予兆が、ほかの企みに妨げられることなく、朝の新しい光の中で時間をかけて膨らんでいくのを、注意深くひそやかに見守ろうとする。夜はようやく明けたばかりだ。次の闇が訪れるまでに、まだ時間はある。

この作品は二〇〇四年九月に小社より単行本として刊行されました

アフターダーク

村上春樹《むらかみはるき》

2006年９月15日第１刷発行

発行者――野間佐和子

発行所――株式会社　講談社

東京都文京区音羽2-12-21　〒112-8001

電話　出版部（03）5395-3510

販売部（03）5395-5817

業務部（03）5395-3615

Printed in Japan

講談社文庫

定価はカバーに表示してあります

デザイン――菊地信義

本文データ制作――講談社プリプレス制作部

印刷――大日本印刷株式会社

製本――大日本印刷株式会社

落丁本・乱丁本は購入書店名を明記のうえ、小社業務部あてにお送りください。送料は小社負担にてお取替えします。なお、この本の内容についてのお問い合わせは文庫出版部あてにお願いいたします。

ISBN4-06-275519-X

講談社文庫刊行の辞

二十一世紀の到来を目睫に望みながら、われわれはいま、人類史上かつて例を見ない巨大な転換期をむかえようとしている。

世界も、日本も、激動の予兆に対する期待とおののきを内に蔵して、未知の時代に歩み入ろうとしている。このときにあたり、創業の人野間清治の「ナショナル・エデュケイター」への志を現代に甦らせようと意図して、われわれはここに古今の文芸作品はいうまでもなく、ひろく人文・社会・自然の諸科学から東西の名著を網羅する、新しい綜合文庫の発刊を決意した。

激動の転換期はまた断絶の時代である。われわれは戦後二十五年間の出版文化のありかたへの深い反省をこめて、この断絶の時代にあえて人間的な持続を求めようとする。いたずらに浮薄な商業主義のあだ花を追い求めることなく、長期にわたって良書に生命をあたえようとつとめるところにしか、今後の出版文化の真の繁栄はあり得ないと信じるからである。

同時にわれわれはこの綜合文庫の刊行を通じて、人文・社会・自然の諸科学が、結局人間の学にほかならないことを立証しようと願っている。かつて知識とは、「汝自身を知る」ことにつきていた。現代社会の瑣末な情報の氾濫のなかから、力強い知識の源泉を掘り起し、技術文明のただなかに、生きた人間の姿を復活させること。それこそわれわれの切なる希求である。

われわれは権威に盲従せず、俗流に媚びることなく、渾然一体となって日本の「草の根」をかたちづくる若く新しい世代の人々に、心をこめてこの新しい綜合文庫をおくり届けたい。それは知識の泉であるとともに感受性のふるさとであり、もっとも有機的に組織され、社会に開かれた万人のための大学をめざしている。大方の支援と協力を衷心より切望してやまない。

一九七一年七月

野間省一

講談社文芸文庫

古井由吉
山躁賦
確かに思われた日常の続きをふと見失い比叡高野等の山の寺に出かけた私は時を超えて躁ぐモノ達の気配に囲まれ——。物語を捨て古典に遡行した著者の転換期の傑作。
解説=堀江敏幸　年譜=著者
ふA5　198453-5

柄谷行人
坂口安吾と中上健次
日本の文学の伝統のなかで、「事件」として登場した坂口安吾と中上健次。二人のラディカルな核心に迫る批評を集成。闘う知性が明かす「文学」という荒ぶる魂。
解説=井口時男　年譜=関井光男
かB7　198452-7

前登志夫
存在の秋
霊異の地・吉野に暮らし、杣人を続ける現代短歌界の巨匠が、静かな生活の中で、文明社会が見失った人間の魂を呼び覚ます山住みの思想と、詩心を綴った名随筆集。
解説=長谷川郁夫　年譜=著者
まH1　198454-3

水木しげる　総員玉砕せよ！
宮脇俊三　古代史紀行
宮脇俊三　平安鎌倉史紀行
宮脇俊三　室町戦国史紀行
宮脇俊三　全線開通版・線路のない時刻表
宮脇俊三　徳川家康歴史紀行5000キロ
宮部みゆき　ステップファザー・ステップ
宮部みゆき　震える岩〈霊験お初捕物控〉
宮部みゆき　天狗風〈霊験お初捕物控(二)〉
宮部みゆき　ぼんくら(上)(下)
宮子あずさ　看護婦が見つめた人間が死ぬということ
宮本昌孝　夕立太平記
皆川ゆか　機動戦士ガンダム外伝〈THE BLUE DESTINY〉
皆川ゆか　新機動戦記ガンダムW（ウイング）外伝～右手に鎌を左手に君を～
三浦明博　滅びのモノクローム
三好春樹　なぜ、男は老いに弱いのか？
村上　龍　限りなく透明に近いブルー
村上　龍　海の向こうで戦争が始まる
村上　龍　コインロッカー・ベイビーズ(上)(下)

村上　龍　アメリカン★ドリーム
村上　龍　ポップアートのある部屋
村上　龍　走れ！タカハシ
村上　龍　愛と幻想のファシズム(上)(下)
村上　龍　村上龍全エッセイ〈1976～1981〉
村上　龍　村上龍全エッセイ〈1982～1986〉
村上　龍　村上龍全エッセイ〈1987～1991〉
村上　龍　超電導ナイトクラブ
村上　龍　イビサ
村上　龍　長崎オランダ村
村上　龍　フィジーの小人
村上　龍　368Y Par4 第2打
村上　龍　音楽の海岸
村上　龍　村上龍料理小説集
村上　龍　村上龍映画小説集
村上　龍　ストレンジ・デイズ
村上　龍　共生虫
村上龍・坂本龍一　E.V. Café――超進化論
村上龍・山岸隆　「超能力」から「能力」へ

向田邦子　眠る盃
向田邦子　夜中の薔薇
村上春樹　風の歌を聴け
村上春樹　1973年のピンボール
村上春樹　羊をめぐる冒険(上)(下)
村上春樹　カンガルー日和
村上春樹　回転木馬のデッド・ヒート
村上春樹　ノルウェイの森(上)(下)
村上春樹　ダンス・ダンス・ダンス(上)(下)
村上春樹　遠い太鼓
村上春樹　国境の南、太陽の西
村上春樹　やがて哀しき外国語
村上春樹　アンダーグラウンド
村上春樹　スプートニクの恋人
村上春樹　アフターダーク
村上春樹・佐々木マキ絵　羊男のクリスマス
村上春樹・糸井重里　夢で会いましょう
村上春樹・文 安西水丸・絵　ふわふわ
U・K・ルグウィン 村上春樹訳　空飛び猫

講談社文庫 目録

森 博嗣 今夜はパラシュート博物館〈THE LAST DIVE TO PARACHUTE MUSEUM〉
森 博嗣 恋恋蓮歩の演習〈A Sea of Deceits〉
森 博嗣 六人の超音波科学者〈Six Supersonic Scientists〉
森 博嗣 捩れ屋敷の利鈍〈The Riddle in Torsional Nest〉
森 博嗣 朽ちる散る落ちる〈Rot off and Drop away〉
森 博嗣 赤緑黒白〈Red Green Black and White〉
森 博嗣 森博嗣のミステリィ工作室
森 博嗣 アイソパラメトリック
森 博嗣 虚空の逆マトリクス〈INVERSE OF VOID MATRIX〉
森 博嗣 ささきすばる絵 悪戯王子と猫の物語
森枝卓士 私的メコン物語〈食から覗くアジア〉
森 浩美 推定恋愛
森 浩美 推定恋愛 two–years
諸田玲子 鬼あざみ
諸田玲子 笠《かさ》雲《ぐも》
諸田玲子 からくり乱れ蝶
諸田玲子 其《そ》の一日《いちにち》
森津純子 家族が「がん」になったら〈誰も教えてくれなかった介護法と心のケア〉
桃谷方子 百合祭

森 孝一 「ジョージ・ブッシュ」のアタマの中身〈アメリカ「超保守派」の世界観〉
山口 瞳 常盤新平 編 新装版諸君！この人生、大変なんだ
山田風太郎 婆沙羅
山田風太郎 甲賀忍法帖〈山田風太郎忍法帖①〉
山田風太郎 忍法忠臣蔵〈山田風太郎忍法帖②〉
山田風太郎 伊賀忍法帖〈山田風太郎忍法帖③〉
山田風太郎 忍法八犬伝〈山田風太郎忍法帖④〉
山田風太郎 くノ一忍法帖〈山田風太郎忍法帖⑤〉
山田風太郎 魔界転生(上)(下)〈山田風太郎忍法帖⑥⑦〉
山田風太郎 江戸忍法帖〈山田風太郎忍法帖⑧〉
山田風太郎 柳生忍法帖(上)(下)〈山田風太郎忍法帖⑨⑩〉
山田風太郎 風来忍法帖〈山田風太郎忍法帖⑪〉
山田風太郎 かげろう忍法帖〈山田風太郎忍法帖⑫〉
山田風太郎 野ざらし忍法帖〈山田風太郎忍法帖⑬〉
山田風太郎 忍法関ヶ原〈山田風太郎忍法帖⑭〉
山田風太郎 妖説太閤記(上)(下)
山田風太郎 新装版戦中派不戦日記
山田風太郎 奇想小説集
山村美紗 三十三間堂の矢殺人事件

山村美紗 ヘアデザイナー殺人事件
山村美紗 京都新婚旅行殺人事件
山村美紗 大阪国際空港殺人事件
山村美紗 小京都連続殺人事件
山村美紗 グルメ列車殺人事件
山村美紗 天の橋立殺人事件
山村美紗 愛の立待岬
山村美紗 花嫁は容疑者
山村美紗 十二秒の誤算
山村美紗 京都・沖縄殺人事件
山村美紗 京都三船祭り殺人事件
山村美紗 京都絵馬堂殺人事件〈名探偵キャサリン傑作集〉
山村美紗 京都不倫旅行殺人事件
山村美紗 小野小町殺人事件
山村美紗 京友禅の秘密
山村美紗 京都・十二単衣《じゅうにひとえ》殺人事件
山村美紗 燃えた花嫁
山田正紀 長靴をはいた犬〈神性探偵・佐伯神一郎〉
山田詠美 ハーレムワールド

2006年9月15日現在